CW00552211

Coleção «Uma Aventura» — volumes publicados:

1. Uma Aventura na Cidade
2. Uma Aventura nas Férias do Natal
3. Uma Aventura na Falésia
4. Uma Aventura em Viagem
5. Uma Aventura no Bosque
6. Uma Aventura entre Douro e Minho
7. Uma Aventura Alarmante
8. Uma Aventura na Escola
9. Uma Aventura no Ribatejo
10. Uma Aventura em Evoramonte
11. Uma Aventura na Mina
12. Uma Aventura no Algarve
13. Uma Aventura no Porto
14. Uma Aventura no Estádio
15. Uma Aventura na Terra e no Mar
16. Uma Aventura debaixo da Terra
17. Uma Aventura no Supermercado
18. Uma Aventura Musical
19. Uma Aventura nas Férias da Páscoa
20. Uma Aventura no Teatro
21. Uma Aventura no Deserto
22. Uma Aventura em Lisboa
23. Uma Aventura nas Férias Grandes
24. Uma Aventura no Carnaval
25. Uma Aventura nas Ilhas de Cabo Verde
26. Uma Aventura no Palácio da Pena
27. Uma Aventura no Inverno
28. Uma Aventura em França
29. Uma Aventura Fantástica
30. Uma Aventura no Verão
31. Uma Aventura nos Açores
32. Uma Aventura na Serra da Estrela
33. Uma Aventura na Praia
34. Uma Aventura Perigosa
35. Uma Aventura em Macau
36. Uma Aventura na Biblioteca
37. Uma Aventura em Espanha
38. Uma Aventura na Casa Assombrada
39. Uma Aventura na Televisão
40. Uma Aventura no Egito
41. Uma Aventura na Quinta das Lágrimas
42. Uma Aventura na Noite das Bruxas
43. Uma Aventura no Castelo dos Ventos
44. Uma Aventura Secreta
45. Uma Aventura na Ilha Deserta
46. Uma Aventura entre as Duas Margens do Rio
47. Uma Aventura no Caminho do Javali
48. Uma Aventura no Comboio
49. Uma Aventura no Labirinto Misterioso
50. Uma Aventura no Alto Mar
51. Uma Aventura na Amazónia
52. Uma Aventura no Pulo do Lobo
53. Uma Aventura na Ilha de Timor
54. Uma Aventura no Sítio Errado
55. Uma Aventura no Castelo dos Três Tesouros
56. Uma Aventura na Casa da Lagoa
57. Uma Aventura na Pousada Misteriosa
58. Uma Aventura na Madeira
59. Uma Aventura em Conímbriga
60. Uma Aventura no Palácio das Janelas Verdes
61. Uma Aventura no Fundo do Mar

A publicar:

62. Uma Aventura Voadora

Ana Maria Magalhães
Isabel Alçada

em Lisboa

Ilustrações de
Arlindo Fagundes

CAMINHO

18.ª edição

Título: Uma Aventura em Lisboa
Autoras: Ana Maria Magalhães e Isabel Alçada
© Editorial Caminho – 1988
Ilustrações: Arlindo Fagundes

1.ª edição, 1988
18.ª edição: fevereiro de 2019 (reimpressão)
Tiragem: 3000 exemplares
Impressão e acabamento: Guide
Depósito legal n.º 430 992/17
ISBN 978-972-21-0021-2

Editorial Caminho, SA
Uma editora do grupo Leya
Rua Cidade de Córdova, 2
2610-038 Alfragide — Portugal
www.caminho.leya.com
www.leya.com

Aos queridíssimos
Maria José, Vasco,
Nara e Gonçalo

Agradecimentos

Para fazermos este livro tivemos o apoio de várias pessoas a quem queremos agradecer:

Dr.ª Isabel Cruz Almeida — conservadora do Mosteiro dos Jerónimos e da Torre de Belém

Dr.ª Dulcineia Gil

Dr.ª Ana Veríssimo

Sr. Manuel António — funcionário do Aqueduto das Águas Livres

João Pinhal — Rádio Santiago de Sesimbra

Um colega muito especial

— Brrr... que frio horrível!

— Estava-se tão bem na cama!

As gémeas tinham acabado de sair de casa, muito encolhidas dentro do blusão. No primeiro dia de aulas a seguir às férias do Natal custava-lhes sempre imenso retomar o horário. Claro que, mal entravam em férias, não tinham qualquer problema em passarem a levantar-se tarde! Mas o contrário era um inferno. Na véspera à noite o sono não vinha e de manhã, quando ouviram o despertador, nem queriam acreditar que estava na hora. De olhos inchados e a tiritar de frio, lá se arranjaram para irem para a escola.

— Luísa, traz o cachecol e as luvas — dissera a Teresa. — Deve estar muita humidade. Olha só o nevoeiro!

De facto, o mundo parecia envolto numa cortina branca e espessa. Não se via um palmo adiante do nariz! Os carros circulavam muito devagar e com os faróis acesos. As pessoas apareciam e desapareciam, conforme estavam mais perto ou mais longe, todas com o pescoço enterrado nos ombros e muito agasalhadas.

Quando chegaram ao portão, estacaram, divertidas.

— Parece uma «escola fantasma», ó Teresa!

Os rolos de nevoeiro moviam-se devagar, ora tapando ora destapando o Pavilhão 2, de modo que quem não conhecesse aquele espaço tinha o direito de duvidar se o edifício estava ou não estava ali.

Vários grupos foram chegando, uns mais ensonados do que outros. Havia quem trouxesse mochilas novas, botas, pastas, casacos, tudo presentes de Natal acabadinhos de estrear!

— O Pedro, achas que já chegou? Ele disse que vinha cedo.

— Não o vejo em parte nenhuma, nem ele, nem o Chico, nem o João...

Demasiado murchas e sem energia para procurarem os amigos, preferiram ir direitas para a porta da sala.

— Já nem me lembro do que é que costumávamos ter à primeira hora.

— Eu nem sei que dia é da semana...

Era segunda-feira. A professora de Inglês abriu-lhes a porta bocejando longamente. Pelos vistos, também ela estava cheia de sono!

— Olá! Então? Que tal as férias?

— Curtas, muito curtas...

Entre risos e queixumes lá se foram instalando. Claro que o Paulo começou logo com os disparates do costume, mas a professora não se zangou e até fez de conta que não viu, para não ter de ralhar logo no primeiro dia.

Puseram livros e cadernos em cima das mesas, tiraram para fora lápis, canetas, borrachas, num ritmo muito mais lento do que o habitual, e, quando tinham começado a trabalhar aí há dez minutos, alguém bateu à porta.

A professora foi abrir. Apareceu um rapaz que ninguém conhecia, bastante alto e magro, vestido de preto dos pés à cabeça.

— Desculpe — explicou ele numa voz firme e agradável —, esta escola é muito grande e acho que me perdi.

— Mas tu não és desta turma!

— Eu venho transferido de Mem Martins e disseram-me que era aqui...

— Ah... deixa cá ver...

A professora abriu o livro com os nomes dos alunos. Alguém da secretaria tinha acrescentado um nome no fim.

— Eduardo Pinhal? És tu?

— Sou.

— Bom, então está bem. Escolhe um lugar vago e senta-te.

A turma inteira observava-o em silêncio. Tantos pares de olhos fitos nele deixaram-no

um pouco atrapalhado. Mas tentou disfarçar e sentou-se lá ao fundo sozinho.

— Já tens o livro de leitura e o livro de fichas? — perguntou a professora.

— Eu tenho, mas na minha escola usávamos outro.

— Bom... então hoje acompanhas a aula como puderes e depois vê se compras o material igual ao dos teus colegas, está bem?

Ele acenou que sim e retomou-se o trabalho.

Lá atrás, muito calado, o aluno novo procurou passar despercebido. E conseguiu, pois nunca mais ninguém se lembrou dele. A professora era muito dinâmica e não deixava perder nem um segundo! Depois da leitura do texto e do diálogo em inglês ainda preencheram uma ficha e fizeram a correção.

Entretidos, não se aperceberam do que se passava na última carteira senão quando tocou. O Paulo, ao voltar-se, até soltou uma exclamação abafada:

— Oh!

— Eh, pá! Que giro! Mostra — pediu um outro chamado Jaime.

Alertados, os colegas foram também dar a sua espreitadela.

O Eduardo tinha-se entretido a fazer uma construção que cobria o tampo da mesa. Era um autêntico Palácio da Bela Adormecida! Enorme, com torres pontiagudas, uma ponte levadiça, muros e mais muros, com ameias e tudo.

— Onde é que arranjaste este material? — perguntou a Luísa, tocando ao de leve com a ponta dos dedos na torre mais alta.

— É papel.

— Papel? Mas que papel tão esquisito!

— É papel mastigado — explicou ele. — Queres ver como é que se faz?

E perante o olhar apreciativo dos colegas, o Eduardo arrancou uma folha do caderno, cortou-a em tiras e enfiou uma na boca. Mastigou, mastigou e depois cuspiu uma bola com toda a facilidade.

— Veem? Esta pode ser a primeira bala do canhão...

Durante o intervalo ninguém arredou pé. Vários tentaram experimentar se também seriam capazes de fazer aquilo, mas sem grande êxito. Cuspinhar bolinhas de papel era fácil, agora transformá-las em construções, isso já requeria certa habilidade.

— Quem vai gostar de te conhecer é o professor de Educação Visual — disse o Paulo. — Se calhar até te obriga a dares cuspo para fazermos materiais novos.

O Eduardo riu-se e, antes de começar a aula seguinte, atirou com o palácio de papel para o lixo.

— Oh! Que pena! — disse a Teresa.

— Estava tão giro...

Ele encarou aquelas duas colegas iguaizinhas e sorriu-lhes, simpático:

— Que engraçado! — disse. — Vocês são gémeas verdadeiras. Pelo que vejo, só têm uma diferença mínima que as distingue...

A Teresa e a Luísa empalideceram.

— Como é que sabes?

— Então, basta olhar! É...

De um salto, a Luísa pôs-se ao pé dele e tapou-lhe a boca.

— Não digas! Não digas a ninguém!

— Porquê?

— É que nunca ninguém descobriu qual é a diferença entre nós as duas.

— Bom, está bem, eu não digo nada.

— Prometes? — perguntou a Teresa.

— Prometo!

Os olhos dele franziram-se, mudando ligeiramente de tom, e na bochecha apareceu uma cova redondinha.

— Eu nunca faltei a uma promessa — acrescentou.

A Teresa fez um ar de dúvida.

— Não acreditas?

— Não é isso. Se calhar não sabes qual é a diferença e estás a fingir...

Ele então puxou-as para perto e segredou

16

qualquer coisa ao ouvido de ambas. Depois
perguntou em voz alta:

— É ou não é?

— É! Acertaste.

Quando a professora de Matemática entrou
na aula, as conversas tiveram de acabar e todos
se dirigiram para os seus lugares.

O Eduardo foi lá ao pé dizer-lhe que tinha
sido transferido para aquela turma.

A Luísa aproveitou a pausa para perguntar
muito baixinho à irmã:

— Este Eduardo... achas giro, não achas?

— Giríssimo! — foi a resposta.

Capítulo 2

Dor de cotovelo

O Pedro e o Chico tinham andado loucos à procura das gémeas, mas só as encontraram no intervalo grande. Estavam as duas no bufete a comprar bolos, e quando depois de várias cotoveladas e encontrões saíram cá para fora, vinham com um rapaz que eles nunca tinham visto.

— Olá! Onde é que vocês se meteram? — perguntou o Chico.

— Ficámos no pavilhão com o Eduardo, que é novo cá na escola.

O Eduardo sorriu-lhes, mas o Chico e o Pedro não se mostraram muito entusiasmados com aquela nova amizade. A primeira vista acharam-no irritante, talvez por ser mais alto do que eles ou por ter tido a ideia de se vestir de preto.

As gémeas, no entanto, ou não perceberam ou fizeram-se desentendidas, pois continuaram a falar do seu colega com grande admiração:

— Ele faz umas construções sensacionais — disse a Luísa. — Todas em papel mastigado.

— Em quê? — perguntou o Pedro, franzindo o sobrolho.

O Eduardo tomou a palavra com à-vontade:

— Papel que eu mastigo para poder moldar.

— Mastigas?

— Sim. Com o cuspo e os dentes, faço uma pasta magnífica.

A Teresa, numa tentativa de os aproximar, procurou despertar-lhes a curiosidade:

— Vocês adoravam ver! Ele há bocado na aula de Inglês construiu um palácio de sonho.

O Pedro, com um trejeito de desprezo, limitou-se a comentar:

— Hum... um palácio de papel amassado com cuspo? Francamente, não sei...

— Eu também, se queres que te diga, acho um bocado porco.

As gémeas coraram de indignação e iam a responder, quando apareceu o João esbaforido e desviou a conversa:

— Estou aflitíssimo por causa do *Faial*! Desde ontem que não come. Tem os olhos baços e o pelo a cair. Nem ladra, coitadinho.

O Eduardo, que não se afastara do grupo, apesar de perceber que não era bem aceite pelos rapazes, sugeriu:

— Nesse caso o melhor é chamar o veterinário imediatamente. Eu conheço um que é magnífico...

Fez-se silêncio. O João não sabia quem ele era e olhou para os outros como quem pede uma explicação. Foi a Teresa quem lha deu, mas em voz sumida:

É um colega nosso, que entrou hoje. Veio transferido de Mem Martins.

— Nesse caso, o tal veterinário que conheces deve viver muito longe daqui — disse o Pedro, sempre carrancudo. — Não serve para tratar do *Faial*.

— Serve, sim. Ele vive em Mem Martins, mas sei que trabalha numa clínica para animais em Lisboa. Se quiseres vou lá contigo. Como ele me conhece, porque tratou muitas vezes o meu cão, se me vir recebe logo o *Faial*.

O Pedro e o Chico entreolharam-se, transmitindo um ao outro a irritação que sentiam. Aquele tipo era um convencido. Já falava do *Faial* como se o conhecesse há séculos. Se calhar não tinha cão, não conhecia veterinário nenhum e estava a dizer aquilo tudo só para se armar em bom.

Mas nem as gémeas nem o João pareciam partilhar da mesma ideia, pois já trocavam animadamente moradas e números de telefone, para irem ao veterinário nessa mesma tarde.

— Querem vir connosco? — perguntou a Luísa.

— Nem pensar! — respondeu-lhe o Pedro.

— Já têm companhia que chegue.

— Se lá chegássemos ao monte, o médico julgava que era uma excursão.

A campainha chamou toda a gente às respetivas salas. O Chico e o Pedro afastaram-se juntos, um pouco amuados.

— Que parvo este Eduardo, hã?

— Um idiota sempre a dar palpites e a achar tudo magnífico.

— Para ser transferido nesta altura do ano, estou mesmo a ver que veio para casa de uns tios ou de uma avó, porque teve notas péssimas.

— Se foi só por isso...

— O que me irrita mais nem é ele! — confessou o Chico. — São as parvas das gémeas todas derretidas. Parece que nunca viram um tipo vestido de preto na vida delas!

E lá se foram os dois para a aula, sempre resmungando más vontades contra o Eduardo.

Nessa tarde, o *Faial* foi conduzido ao consultório do Dr. Noé pelo dono e mais três acompanhantes. E ali, depois de um exame demorado, deram-lhe uma injeção e prescreveram-lhe tratamento. Assim, à noite já se sentia melhor, para grande alegria do João que se apressou a telefonar aos amigos para dar a boa notícia. Com aquela proeza, o Eduardo tinha ganho um amigo para a eternidade! O João estava gratíssimo. O Chico e o Pedro, embora contrafeitos, tiveram de reconhecer a sua utilidade neste caso. Quanto às gémeas, não falavam noutra coisa. Enquanto arrumavam os livros na pasta para o dia seguinte, fizeram mil perguntas uma à outra:

— Ele é formidável, não é?

— É, pois! Viste como sabe lidar bem com animais?

— O *Faial* gostou imenso dele.

— E o *Caracol* também vai gostar.

Ao ouvir as donas falarem no seu nome, o *Caracol* pôs-se aos saltinhos. A Luísa pegou-lhe.

— Temos um amigo novo, *Caracol*!

O cachorro pouco ligou. Lambeu-lhe as mãos e fechou os olhos.

— Por que é que achas que o Eduardo veio transferido de outra escola?

— Não faço ideia.

— Se calhar os pais mudaram de casa.

— Ele vive só com a mãe.

— Como é que sabes?

— Perguntei-lhe quando íamos no táxi.

A Teresa, ajoelhada no chão, remexia as camisolas dentro da gaveta, sem decidir qual havia de levar no dia seguinte. Queria uma vermelha e branca, mas acabara de a ver no cesto da roupa suja.

A Luísa sentou-se também no chão e perguntou com um suspiro:

— Por que é que o Pedro e o Chico terão sido tão antipáticos com ele?

— Sei lá! São parvos!

— Eles não costumam ser assim.

— Connosco, não! Mas talvez sejam agressivos com pessoas que não conhecem.

— Ora, Teresa! Estou farta de os ver com estranhos e nunca aconteceu nada disto.

— Sabes qual é a minha opinião? — perguntou a Teresa, pousando em cima da cómoda a última camisola. — O que eles têm é dor de cotovelo.

— Porquê? Não entraram em nenhuma competição!

— Deixa-te de tretas! O Eduardo é o máximo e eles ficaram pior que estragados! Sabes isso tão bem como eu.

Mas não têm razão para reagir assim. Podem ser amigos. Ele é tão simpático!

— Pois é. Nem ficou chateado por eles serem uns malcriados.

— Calma aí! O Pedro e o Chico não são malcriados.

— Pois não. Mas hoje de manhã foram.

— Toda a gente é malcriada às vezes.

— Claro. E nós também.

— Então não te ponhas contra o Pedro e o Chico, hã?

— Eu? Contra eles? Que ideia!

A Luísa riu-se e pôs-se de pé:

— Olha lá, por que é que estás a escolher camisolas com tanto cuidado? Queres agradar a alguém, é?

Capítulo **3**

Um estranho
programa de rádio

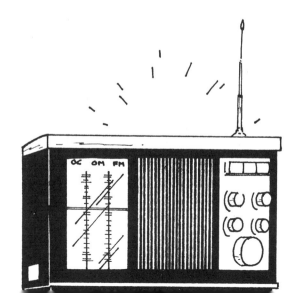

Quando já estavam deitadas, as gémeas resolveram acender o rádio e ler um bocado porque ainda era cedo. Recostadas confortavelmente nos almofadões, cada uma com seu livro, sintonizaram a música que lhes pareceu mais agradável e ficaram em silêncio até que uma voz inesperada lhes fez levantar a cabeça:

— Boa noite, senhores radiouvintes... Depois desta música magnífica, temos uma entrevista magnífica para vos oferecer...

A Luísa olhou para a irmã, assombrada! O locutor falava exatamente como o colega novo, tinha o mesmo timbre baixo e agradável e até o mesmo «tique», pois repetira a palavra magnífico duas vezes numa frase bem curta.

— Achas que... — começou a Teresa.

— O quê?

— Não sei. A voz pareceu-me a do...

— Eduardo?

— Sim.

— Também me pareceu, mas não deve ser.

O locutor, quem quer que fosse, calara-se e do rádio saía agora apenas música, música excelente, diga-se de passagem.

— Se calhar — sugeriu a Luísa —, ele tem um irmão que trabalha neste posto emissor.

— Será?

— É possível.

Com o livro pousado nos joelhos e uma expressão atenta, aguardaram que a voz se fizesse ouvir de novo para tirarem dúvidas. E quando o som da guitarra elétrica foi diminuindo, diminuindo quase a pontos de deixar de se ouvir, arrebitaram a orelha. Mas a surpresa foi tal que ficaram mudas de espanto:

— Esta noite temos connosco as famosas gémeas Teresa e Luísa... duas alunas da escola preparatória que nos vão dar as suas impressões acerca da reabertura do ano escolar...

Sem conseguirem articular palavra endireitaram-se, e de cabeça espetada na direção do rádio puseram mil hipóteses absurdas. Haveria outro par de gémeas chamado Teresa e Luísa? Em que escola? Ou alguém teria gravado uma conversa entre as duas sem elas darem por isso?

— Boa noite, cara amiga... — continuava o locutor num tom jovial —, ora diga-me, por favor, você é a Teresa ou a Luísa? É que, devido à grande semelhança, torna-se muito difícil distingui-las!

A Luísa, atónita, ouviu então a sua própria voz sair do rádio como por encanto:

— Eu sou a Luísa... e quero antes de mais nada agradecer o convite para vir ao seu programa...

Em seguida, foi a vez de a Teresa dar um salto, pois qualquer pessoa que a conhecesse poderia garantir que era ela quem falava ao microfone.

— Eu também quero agradecer! Gostámos muito de vir aqui, a esta rádio livre, a Rádio Pirata...

— Estaremos a sonhar? — murmurou a Luísa.

— As duas ao mesmo tempo? É impossível! Mas esta entrevista que estamos a ouvir também é impossível!

— Ora põe mais alto.

Com o som elevado, as vozes sofreram uma leve distorção. Pareciam um pouco mais roucas. E a partir de certa altura o entrevistador começou a fazer as perguntas de tal maneira que as respostas se limitavam a monossílabos: pois, sim, não, hum...

De qualquer forma, falou-se ali de tudo o que se tinha passado naquele dia, tanto na escola como até no veterinário!

Depois, o locutor agradeceu-lhes vivamente, desejou que continuassem a ter êxito nas suas aventuras e despediu-se, voltando a pôr excelente música *rock*.

— Acho que não vou conseguir pregar olho — suspirou a Teresa. — Enquanto não perceber que diabo foi isto, não descanso.

— Deve ter sido alguém a gozar!

Alguém, não. Só pode ter sido o João ou o Eduardo! Mais ninguém foi connosco ao veterinário.

— Então só pode ter sido o Eduardo, porque o João não sabe o que se passou na aula de Inglês e falaram nisso.

— Mas quem? Eram as nossas vozes e nós estamos aqui!

— Arranjaram duas raparigas para nos imitarem.

— Quanto a isso, não há dúvida. Mas têm de ser pessoas que nos conheçam muito bem!

— Sabes o que é que me apetece? Telefonar ao Eduardo e tirar tudo a limpo.

— Faz isso, Teresa, faz! — disse logo a irmã, entusiasmada.

— Não será tarde? Podemos acordar a mãe dele e é chato.

— Pois é, mas não me ralo.

A Teresa e a Luísa levantaram-se e foram em bicos de pés até à sala.

— Olha — sugeriu a Luísa, em voz muito baixa —, se for ele a atender, fala. Se não for, desliga.

— Já tinha pensado fazer isso...

A Teresa discou o número e ouviu soar repetidas vezes a campainha do lado de lá. Mas ninguém atendeu.

Relutante, pousou o auscultador no momento em que apareceu o pai em pijama e descalço.

— O que é que vocês estão aqui a fazer?

— A...

— Hum...

Tiritando de frio, foram-se encaminhando para o quarto, incapazes de inventar uma resposta imediata e convincente.

— Ó meninas! Expliquem lá qual foi a ideia de irem telefonar tão tarde?

— A... Precisávamos de acertar o relógio e ligámos para as horas...

— Mas que disparate! Estou farto de dizer que não quero que gastem chamadas a ligar para as horas. Iam ver ao relógio da cozinha e pronto.

O pai regressou ao quarto e elas também.

A Luísa apressou-se a apagar a luz. Já metida na cama, pôs as mãos geladas em cima do saco de água quente. A Teresa enroscou-se como um novelo, e durante um bocado continuaram a conversar baixinho:

— Achas que não estava ninguém em casa?

— Ou estariam a dormir?

— E não acordavam com o telefone?

— Há pessoas que têm o sono muito pesado!

— Se calhar não estão em casa, porque trabalham todos na rádio.

— E ele também?

— Sei lá! É tão diferente das outras pessoas.

— Pode ser que já trabalhe.

— Numa rádio livre?

— Sim.

— O que é uma rádio livre, sabes?

— Hum... não. Falaram em «rádio pirata».

— O melhor é amanhã perguntarmos.

A Teresa suspirou:

— Quem me dera que a noite passasse de-pressa!

— Também eu — disse a Luísa, soerguen-do-se.

— O que é que vais fazer?

— Acender o rádio. Talvez se ouça mais qualquer coisa.

Apesar de todos os esforços, não foi possível encontrarem o misterioso posto que dava pelo nome de Rádio Pirata. Andaram com o ponteiro para trás e para diante, e nada! Sempre que passava no número que ainda há pouco transmitia música, ouvia-se apenas um besouro e vários estalidos.

No dia seguinte, mal puseram o pé na escola, as gémeas não fizeram outra coisa senão andar atrás do Eduardo. Mas ele evitou-as até à hora do almoço, fingindo-se sempre muito ocupado a falar com outros colegas ou a copiar cadernos. Tiveram de esperar por ele à saída. Plantaram-se uma em cada lado do portão, decididas a não sair dali nem à bala. O pior é que o Eduardo nunca mais aparecia! Antes dele, chegou o João, satisfeitíssimo porque o *Faial* estava quase bom.

— Já anda no jardim — dissera, com um sorriso de orelha a orelha. — O Eduardo foi bestial! Onde é que ele está?

— Isso queríamos nós saber!

Por trás delas soou uma risada bem conhecida:

— Claro! Agora só pensam no queridinho que mastiga papel...

— Oh, Chico! — reclamou a Luísa. — Que disparate!

— Não é verdade?

— Nega se és capaz! — disse o Pedro, com ar trocista.

— Pois nego! Se soubesses por que é que estamos aqui, tu também ficavas à espera.

— Isso é que era bom!

— Ora ouve a nossa história primeiro e fala depois, sim?

A Teresa e a Luísa, numa grande animação, relataram tintim por tintim o que se tinha passado na noite anterior. Os rapazes, ao princípio, não queriam acreditar naquele relato mirabolante, mas elas tantos pormenores deram, tanto insistiram, que acabaram por convencê-los.

Assim, quando o Eduardo finalmente apareceu não tinha duas, mas cinco pessoas à espera dele. E todos determinados a arrancar-lhe a verdade, desse lá por onde desse!

— Pronto! Pronto! — garantiu ele, com um sorriso maroto que lhe fazia nascer uma covinha na face. — Eu conto tudo, se vocês prometerem guardar segredo.

— Claro!

— Podes contar connosco!

— Fica descansado...

— Bom, acho que posso confiar neste grupo magnífico! — disse, sempre muito risonho. — Venham ter lá a casa depois do almoço, que eu mostro-lhes...

— O quê?

— Surpresa...

Capítulo 4

A Rádio Pirata

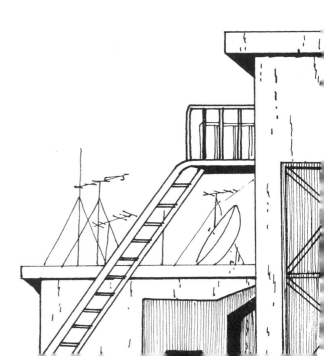

A excitação era tal, que chegaram a casa do Eduardo com vinte minutos de antecedência. Para dizer a verdade, quase nem almoçaram, e o percurso foi feito em passo acelerado.

O Eduardo morava relativamente perto, num prédio alto, construído para aí há trinta ou quarenta anos. O elevador não tinha a porta de dentro e deslocava-se com a parede à vista, de modo que alguns engraçadinhos já tinham escrito e desenhado todo o percurso até ao quinto andar. E um dos «desenhadores de paredes» devia estar apaixonadíssimo, pois conseguira inscrever por ali acima uma fila contínua de corações vermelhos, todos com o mesmo nome: Cláudia, Cláudia, Cláudia...

Quando saíram para o patamar e tocaram à campainha, o Eduardo abriu imediatamente. Mas em vez de os mandar entrar, saiu ele e fechou a porta.

— Então? — perguntou o Pedro. — Não vínhamos a tua casa?

— Sim... mas a surpresa é no terraço.

— No terraço?

— Este prédio não tem telhado, tem um terraço por cima. Vocês já vão ver...

Enfiaram-se de novo no elevador e subiram ao topo. No último patamar havia uma escada de metal, pintada de cinzento, que dava acesso ao tal terraço. Era óbvio que os moradores não costumavam ir até lá, pois estava bastante sujo e abandonado. Além de várias antenas de televisão, viam-se por ali caixotes e tanques arrumados ao canto, rolos de arame cobertos de ferrugem e um casinhoto bem fechado a sete chaves.

— Isto era a casa dos tanques — explicou o Eduardo. — Mas agora toda a gente tem máquina de lavar a roupa, por isso fiquei com a casinha para mim. Tirei os tanques, tapei os canos e pronto...

— Pronto, o quê?

O Eduardo sorriu, e fez tilintar o molho de chaves.

— Já vais ver, Chico.

«Tchloc... Tchloc... Tchloc...» A fechadura era tão grande e resistente como se se destinasse a um portão.

Quando a porta se abriu para trás, não perceberam logo o que significavam tantos aparelhos. Mas o dono explicou, muito orgulhoso:

— Tenho o prazer de lhes apresentar o meu posto emissor...

As paredes estavam forradas com placas de cortiça aos buraquinhos e o teto coberto de esferovite. O Pedro foi o primeiro a entrar e inspirou profundamente aquele cheiro abafado.

— Cheira a rádio — murmurou, lembrando--se de uma visita de estudo que tinham feito à Rádio Comercial.

O Eduardo riu-se:

— Queres tu dizer que cheira a estúdio. A rádio propriamente não tem cheiro.

— Pois não. E a cortiça, e a aparelhagem — concluiu o Chico, que também tinha ido na mesma visita de estudo.

A aparelhagem que ali estava tinha um aspecto ótimo. Gira-disco, microfones, grava-dores e uma mesa de assistência técnica cheia de botões.

Ao meio, uma cadeira rotativa forrada de xadrez era o único assento. Dali, o locutor chegava a todos os botões necessários para pôr a rádio a funcionar. Por baixo da bancada havia pilhas de discos, uns dentro e outros fora das capas.

O Eduardo sentou-se.

— Pois é... vocês são as únicas pessoas que sabem da existência disto, além da minha mãe e do meu tio Manel.

— E o teu pai? — perguntou o Pedro, arrependendo-se mesmo antes de ter acabado a frase.

Os olhos do Eduardo, que eram de uma cor indefinida entre amarelo e verde, escureceram de repente:

— O meu pai... bem, se não sabe, pelo menos imagina — respondeu ele, de cabeça baixa.

— Quando vivíamos todos juntos eu já tinha um posto de rádio.

O silêncio que se seguiu foi bastante embaraçoso. Pelos vistos, os pais do Eduardo tinham-se separado há pouco tempo. Era evidente que lhe custava falar no assunto e todos lamentaram a gafe do Pedro. Mas ele deve ter percebido e tentou desanuviar o ambiente:

— Os meus pais não se entendiam há muito tempo. Era uma chatice, sabem? Estavam sempre a discutir.

As gémeas e o João encararam-no de frente, embora sem saberem ao certo que expressão deviam adotar. O Pedro, aborrecido por ter desencadeado sem querer aquela conversa, pôs-se a mexer nos discos, enquanto o Chico preferiu manter-se de lado, de modo que ninguém poderia ler-lhe na cara os pensamentos.

O Eduardo suspirou:

— No verão passado resolveram finalmente separar-se. O meu pai arranjou emprego no Algarve, e foi-se embora. Nós vendemos a casa em Mem Martins e viemos para aqui para este andar, que é do meu tio Manel.

— Vives com a tua mãe e com o teu tio? — perguntou a Luísa, para não deixar que o silêncio se instalasse de novo.

— Não. O meu tio Manel emigrou para o Canadá e só cá vem de férias. É o irmão mais velho da minha mãe e meu padrinho. Como comprou este andar e quase nunca o usou, disse-nos para virmos para aqui.

— Ah!

— Onde é que arranjaste esta aparelhagem? — perguntou o João para mudar de assunto.

— Foi ele quem ma deu. É louco por rádio e no Canadá ganha-se muito bem... Começou a sua vida profissional como locutor, sabem? Ensinou-me a trabalhar com estas maquinetas todas e já há um ano que tenho uma rádio livre. Ele veio passar o Natal connosco e ajudou-me a montar tudo aqui em cima. As primeiras emissões fizemo-la juntos.

— Bom, parece que parte do «mistério» está resolvido. Falta é explicares como é que puseste no ar a minha voz e a da Teresa.

Ó Eduardo levantou as sobrancelhas numa expressão malandra:

— Não adivinham?

— Hum... Tens duas amigas que falam mais ou menos como as gémeas! — arriscou o João.

— Nada disso.

— Gravaste a conversa na escola, sem elas perceberem, com um gravador pequenino de bolso.

— Ó Pedro! Isso é impossível — disse logo a Teresa.

— Porquê?

— Porque nós não reconhecemos a conversa. Se tivéssemos dito aquelas frases, lembrávamo-nos.

— Então não sei.

— Diz lá, pá! Não sejas chato.

O Eduardo pôs-se de pé e respirou fundo. Depois, para grande espanto de todos, disse uma frase curtinha, com o timbre e o tom exato da Luísa!

— Sabes imitar vozes! — exclamaram em coro.

Ele riu-se, divertido. E antes que lhe fizessem mais perguntas, deu um autêntico espetáculo. Falou como as gémeas, imitou o Pedro, o Chico, o João, a professora de Inglês, e ainda cantou um bocadinho, tal e qual como a Madonna!

Fascinados, ouviram-no sem o interromperem, até que ele se sentou de novo. Parecia cansado. Mas em vez de se queixar, abandonou as vozes humanas e soltou um latido.

A cara do João iluminou-se.

— Agora foi a vez do *Faial*.

— Enganas-te. Aprendi a latir e a ladrar com o meu cão, o Tambor.

— Onde é que ele está? — perguntou o Pedro.

— Está com o meu pai, no Algarve.

O Eduardo procurou responder num tom neutro, mas ficou triste de novo.

Os outros olharam para o Pedro, furibundos, e ele encolheu os ombros como quem diz:

«Hoje não acerto uma... foi sem querer!»

De qualquer forma, como não era capaz de deixar um problema em suspenso, tomou a palavra:

— Olha, pá! Nunca vi ninguém imitar vozes como tu. És sensacional.

O Eduardo ficou satisfeito e sorriu-lhe.

— Hum... é o meu único talento! Mas tenho um e já não é mau.

A conversa animou outra vez.

Os rapazes quiseram saber os pormenores técnicos daquela instalação, a Luísa propôs que fizessem um programa de rádio todos juntos para intrigarem a vizinhança, e passaram ali um bom bocado congeminando planos fantásticos. Só a Teresa se manteve mais ou menos silenciosa. Sentada em cima de um caixote por trás da cadeira do Eduardo, não lhe podia ver a cara, mas apenas a nuca. Mesmo assim

parecia-lhe o rapaz mais giro que conhecera em toda a sua vida. Admirava-lhe os gestos, os tiques, a forma engraçada como punha a cabeça de lado, a forma segura com que explicava coisas complicadíssimas sobre aqueles aparelhos fabulosos que permitiam captar ondas vindas de muito longe ou aproveitá-las para enviar mensagens, recados e música para as casas em redor. Era de facto um rapaz formidável, e nada gabarola! Ainda há bocado dissera que o seu único talento consistia em imitar vozes, quando afinal sabia fazer muitas outras coisas notáveis.

Embevecida, ouviu-o explicar que aquele radioemissor tinha pouca potência, e que os programas que fizessem não iriam muito além do bairro, mas que o aparelho recetor era muito bom e apanhava todas as emissoras oficiais e todas as rádios livres de Lisboa e arredores.

— Sabes quantas rádios livres há aqui em Lisboa? — perguntou o João.

— Não sei ao certo, mas há muitas. Agora no Porto, sei. Há trinta e oito.

— Essas, consegues ouvir?

— Não.

— Liga lá o aparelho, para vermos que tal o som.

— É excelente — respondeu o Eduardo, carregando num botão.

Em vez de música, veio até eles uma conversa tão empolgante como inesperada!

Até a Teresa abandonou os seus devaneios e foi ouvir.

— O tesouro é de um valor incalculável! E qualquer pessoa o pode encontrar. Neste momento eu diria que é uma questão de sorte!

— Quem será que está a falar! — balbuciou o Pedro.

— Schut! Deixa ouvir!

O locutor parecia tão entusiasmado como os ouvintes e perguntou:

— Quer dizer que o saco das joias nunca apareceu?

— Exatamente — continuou o entrevistado.

— É uma história fabulosa! Como você com certeza sabe, naquela época os reis portugueses viviam rodeados de grande luxo. Era uma corte faustosa! A riqueza que vinha das terras descobertas permitiu que se dessem festas inesquecíveis, que todas as pessoas que viviam junto do rei usassem roupas bordadas a ouro e a prata, e completassem as suas *toilettes* com joias fabulosas. Havia muita criadagem, muitos banquetes, enfim, muito dinheiro mal gasto também!

— Pois — concordou o locutor. — Na época também havia miséria.

— Claro! Mas, enfim, felizmente o rei também se lembrou de empregar parte da riqueza a construir monumentos grandiosos!

— O senhor professor há pouco disse-nos que o tesouro foi escondido num monumento... e que nunca ninguém o encontrou.

— Precisamente!

— Mas por que motivo teriam ido esconder um saco de joias no interior de um monumento?

— Brincadeiras do rei... brincadeiras reais! Havia um jogo na corte com que todos se divertiam muito, que era afinal uma espécie de «jogo de pista». O rei mandava esconder um objeto valioso, dava instruções em código para a rainha, os príncipes e as princesas, os nobres, enfim, para todas as pessoas importantes que quisessem participar poderem seguir a pista. Quem decifrasse as frases em código e descobrisse o tal objeto, podia ficar com ele.

— Mas isso parece uma brincadeira de crianças!

— Naquele tempo os adultos divertiam-se com jogos que nós achamos infantis. Por exemplo, a cabra-cega era muito apreciada. E as escondidas também.

— Engraçado! Mas neste caso o presente não era nenhum brinquedo...

— Pois não! Era, ao que consta, joias lindíssimas. Eu li a descrição disto tudo num documento que descobri na Torre do Tombo ([1]).

— O nosso tempo está a chegar ao fim — disse o locutor. — Mas queria agradecer ao senhor professor ter estado aqui connosco e desejar aos nossos radiouvintes que venham a descobrir, por um capricho da sorte, o fabuloso saco de joias que há séculos espera ser retirado de entre as pedras de um monumento de Lisboa.

([1]) Os documentos mais antigos encontram-se guardados na Torre do Tombo.

Capítulo 5

Planeando

— Temos de descobrir este tesouro! — gritou o Chico, logo que o locutor se calou.

Os outros riram-se e o João pôs-se a gozar:

— Deve ser fácil, ó Chico!

— Se não tentarmos é que não conseguimos, de certeza.

— Lá isso é verdade. Já temos conseguido coisas bem mais difíceis! — disse a Teresa.

— Hum... lembram-se daquela vez na Quinta da Amendoeira? ([1])

— Mas dessa vez dividimos as moedas de ouro com as pessoas da aldeia.

— E a maior parte foi para o Museu Municipal.

— Mas agora... Ah! Ah! Se eu achar o tesouro fico com ele para mim! — exclamou o Chico, atirando com um molho de capas ao ar.

— Que lata! E nós?

([1]) *Uma Aventura nas Férias do Natal*, n.º 2 desta coleção.

— Está bem, conto com vocês. Metade fica para mim e o resto podem dividir entre todos.

— Que engraçadinho!

— Não querias mais nada?

O Eduardo, bastante surpreendido, pediu a palavra:

— Olhem lá, eu estou a ouvir bem?

— Hã?

— A ouvires bem, o quê?

— Pareceu-me que estavam a distribuir as joias do rei como se já as tivessem encontrado.

— E depois? Não faz mal nenhum fazer projetos.

— E é melhor combinar tudo antes para depois não nos zangarmos.

O Chico apressou-se a esclarecer o novo amigo:

— Olha que eu estava a gozar, pá! Este tesouro é para dividir igualmente por todos, hã?

— Vocês são magníficos, palavra de honra.

— Nós somos como irmãos. O que é de um, é dos outros também.

O Eduardo soltou uma gargalhada bem-disposta:

— Não era a isso que eu me estava a referir! O que eu acho fantástico é estarem tão convencidos de que vão mesmo encontrar um tesouro escondido há séculos, que muita gente procurou e não teve sorte nenhuma.

A voz do Pedro soou entusiasmada:

— Tu não sabes do que nós somos capazes...

— Bom — respondeu ele com um meio sorriso —, contem comigo. O que eu não sei francamente é por onde havemos de começar.

— Temos de fazer um plano.

E para grande espanto do Eduardo, a Teresa desdobrou logo um papel, a Luísa entregou-lhe uma caneta e todos fitaram o Pedro.

— Começamos por onde?

— Por aquilo que já temos.

— Temos alguma coisa?

— Claro, Eduardo. Não ouviste? A riqueza do rei vinha das terras descobertas, portanto deve ser D. Manuel I. Foi no tempo dele que se descobriu o caminho marítimo para a Índia, não é? Lisboa tornou-se um centro de comércio importantíssimo. Portanto, ó Teresa, escreve lá...

Instalaram-se melhor e a Teresa foi enchendo o retângulo de papel com as ideias que lhe iam ditando.

o que sabemos

Rei : D. Manuel I

Monumentos deste reinado
construídos em Lisboa:
Mosteiro dos Jerónimos
Torre de Belém

A descobrir :

• Haverá outros monumentos construídos neste reinado em Lisboa?

• Qual o documento em que
estão as regras do jogo em código?

• O que diz esse documento?

Foi o próprio Eduardo quem releu as notas
dela em voz alta. E depois, como estava na hora
de o Chico ir para o treino de volei e as gémeas
para a aula de natação, combinaram pensar durante a noite pois assim talvez no dia seguinte
surgisse uma boa ideia para começarem as
investigações. Separaram-se na maior euforia.
E nessa noite, de facto, não pensaram noutra
coisa! O Pedro deu voltas e reviravoltas à cabeça, e ocorria-lhe sempre o mesmo: ir para uma
biblioteca e ler tudo o que houvesse sobre os
Jerónimos e a Torre de Belém. De certeza que
algum escritor havia de contar aquela história
e talvez lhe acrescentasse alguns pormenores,
o que facilitaria a tarefa.

Quanto ao Chico, o que queria era entrar em ação. Por ele, até faltava à escola se fosse preciso para ir vasculhar todos os recantos da Torre de Belém. Alguma coisa lhe dizia que o tesouro estava lá escondido.

As gémeas, por sua vez, achavam preferível propor uma conversa com os guias que costumavam mostrar o monumento aos turistas. Para elas, só valia a pena procurar nos Jerónimos. Se o rei tinha a mania das grandezas, aquele era o maior, o mais lindo, o mais espetacular de todos os monumentos.

O João deitou-se muito cedo, com o *Faial* aos pés da cama. Naquele caso iam precisar imenso da ajuda do cão. Quem busca seja o que for, só encontra se tiver faro. Ora, quanto a faro, o *Faial* era imbatível! Pela sua cabeça não passavam planos nem pistas para se orientarem. O que ele via era já o desfecho! O momento maravilhoso em que o seu cão, de orelhas no ar, empurrava uma pedra especial com a pata direita... depois a pedra ia deslizando lentamente até que... «clac!», deixava à vista um buraquinho redondo onde muitos séculos atrás o mensageiro do rei tinha ido colocar as pedras preciosas!

Os seus pensamentos tomaram-se tão nítidos que a emoção foi forte de mais. Ofegante, parecia respirar ao despique com o cão. Mas como tinha o rádio aceso, uma voz familiar veio perturbá-lo. A voz do Eduardo. Apesar de também estar entusiasmadíssimo com a perspetiva da aventura, não quis deixar de pôr em marcha a sua Rádio Pirata à hora do costume:

— Boa noite senhores radiouvintes. Hoje não é possível transmitir a entrevista que tínhamos programado pois o nosso convidado de honra encontra-se doente...

O João sorriu. Quem é que ele iria imitar desta vez?

O próprio Eduardo lhe respondeu através do aparelho. E a resposta foi tão cómica que o João soltou uma gargalhada.

O nosso convidado era o senhor Juvenal Lampiões, o grande domador de leões, mundialmente conhecido. Na sua ausência transmitiremos apenas música... música magnífica para o vosso entretenimento: o rock português!

De facto, nessa noite a Rádio Pirata limitou-se ao programa musical. E isso porque o Eduardo tinha mais que fazer... ocorrera-lhe uma ideia «magnífica» e queria pô-la em prática imediatamente.

Capítulo 6

Um código
com vários séculos

No dia seguinte, as gémeas tiveram dificuldade em acompanhar as aulas pois o Eduardo apareceu, logo de manhã, com um ar tão misterioso que as deixou a morrer de curiosidade. Mas recusou-se terminantemente a revelar-lhes o que descobrira, pois queria fazê-lo quando estivessem todos reunidos. O que só foi possível ao fim da tarde, porque o Chico continuava a treinar vólei todos os dias.

O encontro foi nas instalações da Rádio Pirata. E as novidades não desiludiram ninguém!

O Pedro até soltou um assobio de admiração quando o Eduardo apresentou os elementos que tinha obtido na véspera à noite, enquanto o seu programa de rádio transmitia música, música e mais música!

— Está aqui tudo — disse, mostrando-lhes um bloco de notas. — Como era o jogo do rei, as regras e o código, tudo!

— Como é que conseguiste esta maravilha?

— Simples! Telefonei ao locutor do programa que estivemos a ouvir.

— Eh, pá! Que boa ideia! — exclamou o João, de olhos brilhantes.

— E ele tinha essas informações todas para te dar?

— Por sorte, tinha. O tal professor deixou-lhe uma fotocópia do documento que encontrou na Torre do Tombo. Era uma carta escrita por uma dama da corte portuguesa à irmã que casou com um nobre espanhol.

— E o que é que dizia?

— Está aqui. Ele ditou-me tudo pelo telefone, mas eu só tomei nota da parte que nos interessava. Ora vejam. A senhora fala muito do jogo e indica qual era o código.

As seis cabeças debruçaram-se ao mesmo tempo sobre o texto que o Eduardo escrevera à pressa num bloco de papel azulado.

E puderam concluir o seguinte: na data em que a carta fora escrita, a corte em peso andava à procura do tal tesouro na maior animação. Mas o código era talvez demasiado difícil para eles.

— Bom — disse o Pedro ao terminar a leitura —, isto cá para mim parece-me muito claro! Não percebo como é que ninguém descobriu as tais Joias.

— Se calhar eram estúpidos.

— Ó João, em todas as épocas há pessoas estúpidas e pessoas inteligentes!

— Talvez não estivessem tão habituados a códigos como nós!

— Ora! Ainda haviam era de estar mais habituados. Hoje em dia não se fazem tantos jogos como se faziam dantes.

— Isso não é bem assim! Nós fazemos gincanas, há *rally-papers*, e ainda por cima estudamos Comunicação nas aulas. Falamos de códigos...

— Olha lá, achas que essa conversa adianta alguma coisa para o que estamos a tratar?

— Não.

— Então, cala-te.

— Está bem, mas escusavas de ser chato.

O Pedro concordou:

— Desculpa lá, João. Mas este código faz-me palpitar as ideias.

— Já o decifraste?

— Acho que sim.

— Nesse caso, o melhor é dizeres-nos o que descobriste.

— Bom, a primeira frase é: «Benditas, benditas águas...» Isto, na minha opinião, tem dois significados. As águas do mar, por onde os portugueses navegaram para descobrir novas terras, e as águas do Tejo que naquela altura banhavam a Torre de Belém e chegavam quase até aos Jerónimos.

— Chegavam? — perguntou a Luísa.

— Claro. Tu nem olhas é para os livros! Não te lembras de uma gravura antiga dos Jerónimos que vem no livro de História?

— Não devo ter reparado.

— Deixa lá isso agora e diz o resto.

— O resto é mais complicado. Mas só esta primeira frase já nos diz quais são os monumentos.

— Também não é tão complicado como isso!

E a Teresa resolveu recitar em voz alta os versos que serviam de pista a quem participara no jogo alguns séculos atrás:

Benditas, benditas águas
E correm sempre para nós
As costas de fero gigante
Cantam numa linda voz

O gigante é todo pedra
Sua força é a do leão
Para lhe chegar à cinta
Três homens não bastarão

Ali no escuro o tesouro
Sorte de quem o achar
Muito esmalte muito ouro
E rubis para brilhar

— À primeira vista, só podemos ter a certeza de uma coisa.

— Que coisa, Chico?

— Que há um tesouro escondido num buraco escuro...

A Luísa interrompeu-o:

— E que devem ser joias feitas de ouro, rubis e esmalte.

— Quanto a isso, já o professor falou no programa da rádio.

— Eu não percebo muito bem é a história do gigante.

— Mas não é difícil. Um gigante em pedra, o que é que pode ser?

— Ou o Jerónimos ou a Torre de Belém.

— Lógico.

— E as outras frases? «Para chegar à cinta três homens não chegarão»?

— Na minha opinião, essas frases só se decifram indo lá. Talvez haja uma figura humana, ou outra coisa qualquer... só vendo.

— É verdade — disse o Eduardo. — A carta tinha uma data.

— E qual era? Isso podia ajudar imenso. Às vezes há datas inscritas nos monumentos.

— Pois, mas infelizmente não se percebiam bem os números. Eram números romanos muito apagados e não foi possível lê-los. O locutor só me disse que primeiro era um M e depois um D. Os números seguintes estavam ilegíveis.

— Isso só vem confirmar que estamos na pista certa. M significa mil. D significa quinhentos... portanto, mil quinhentos e tal. Em pleno reinado de D. Manuel I.

Tão entretidos estavam com a conversa, que nem ouviram os passos no terraço e, quando soaram pancadas na porta, apanharam um susto tremendo.

— Quem é? — berrou o Eduardo, sem saber por que motivo o coração disparara assim.

Mas não havia motivo para sustos. Era a mãe, que recuou surpreendida ao ver tanta gente ali dentro. Mas ficou contentíssima no minuto seguinte, pois como se tinha mudado há pouco agradava-lhe verificar que o filho já tinha feito tantos amigos.

O Eduardo apresentou-os e depois a senhora disse ao que vinha:

— Queria que me fosses buscar logo à noite ao hospital.

— Está doente? — perguntou a Teresa, procurando ser simpática.

Ela sorriu e fez-lhe uma festinha na cara.

Não, minha linda. Eu sou enfermeira e agora trabalho no Hospital de Santa Maria. Se algum dia precisares de qualquer coisa, já sabes! Perguntas pela enfermeira Ilda Saraiva.

A Teresa acenou que sim e ficou a observá-la discretamente. Ainda era nova, e vestia com gosto. A blusa azul-forte fazia contraste com a pele muito branca e os cabelos loiros, que usava curtos e com franja.

— Hoje estou de folga — continuou ela a explicar. — Mas vou ao serviço substituir uma colega durante duas horas, porque ela tem de tratar de um assunto de família e pediu-me.

— Então sai às nove horas, é?

— É! E se não te importas, vai ter comigo. ontem assaltaram uma rapariga naquela zona e eu, olha! Estou com medo.

— Se quiseres eu vou contigo, pá! — ofereceu-se o Chico. — Tenho passe, e sempre somos dois!

— Isso era excelente! — exclamou a mãe do Eduardo. — Não te importas?

— Não me importo nada! Até gosto!

O Chico parecia muito mais disponível do que o filho.

— Há algum problema? — perguntou a mãe.

— Hum... não.

— Então por que é que estás com essa cara?

— Porque costumo dar início ao meu programa de rádio a essa hora.

— Bom, mas hoje preciso de ti. Ou não fazes programa ou começas mais tarde. Não

tens obrigação nenhuma de pôr no ar todas as noites a Rádio Pirata! Ou tens?

— Não, claro — respondeu ele, de olhos baixos. — Mas tenho o meu público e quero conservá-lo. Se começo a falhar, mudam de posto.

— Francamente, Eduardo! Eu que nunca te peço nada!

Como a conversa ameaçava azedar, as gémeas resolveram despedir-se. Sempre que os amigos se punham a discutir com o pai ou a mãe, elas tratavam logo de se pôr ao fresco, porque assistir a raspanetes e respostas tortas era embaraçoso.

— Nós temos de ir andando — disse a Luísa, sem olhar para a irmã.

— Pois é, está a fazer-se tarde — concordou imediatamente a Teresa.

O Pedro e o João acenaram vivamente que sim, e despediram-se também, deixando o pobre Chico indefeso no meio de uma discussão familiar. Mas como se tinha oferecido para acompanhar o Eduardo, não havia remédio senão ficar até ao fim, para saber se ele sempre ia ou não ia buscar a mãe... De súbito, também ele teve uma ideia salvadora:

— Olha, Eduardo, eu agora vou para casa, está bem? Tu depois telefonas-me a dizer se sempre vais ao Hospital de Santa Maria, para eu ir contigo.

A senhora atalhou:

— Não é preciso telefonares — disse com voz firme. — Já que te ofereceste, podes vir cá ter que ele vai buscar-me, sim!

O Chico despediu-se sem mais comentários e saiu. O encontro tinha terminado com uma cena inesperada, mas de certo modo agora conhecia melhor o ambiente em que o Eduardo vivia. Pelos vistos, a mãe dele era nova, era bonita e devia ser simpática. Mas também sabia ser firme, como as mulheres que têm de desempenhar junto dos filhos dois papéis: o de mãe e de pai.

O que ele não podia saber é que a ida até à entrada de Santa Maria ia trazer novos elementos para a aventura que andavam a planear. E que elementos!

Capítulo 7

Surpresa à porta das Urgências

O Hospital de Santa Maria era um edifício descomunal, cinzento, erguendo-se solitário e severo como quem diz «aqui só se trata de coisas sérias».

Tanto o Eduardo como o Chico já tinham passado por lá várias vezes, mas nunca tinham entrado. Para que não se perdessem, a mãe dera indicações muito precisas:

— Esperem por mim à porta das Urgências. Se eu demorar a aparecer, o único remédio é aguardarem.

Assim, à hora combinada saltaram do autocarro em frente ao grande portão de ferro, e lá foram pelo caminho alcatroado em direção à placa que anunciava «Urgências». Era ali que paravam também os automóveis, transportando feridos, e as ambulâncias. E talvez para que os doentes não apanhassem frio e chuva, a construção tinha sido feita de maneira a ter um espaço coberto.

Como estava escuro e desagradável, resolveram abrigar-se, desejando que a espera não fosse demasiado longa. Ainda pensaram perguntar ao porteiro se a enfermeira Ilda demorava muito, mas logo concluíram que seria estupidez, porque ele com certeza não fazia a mínima ideia.

Poucos minutos depois, surgiu um carro verde a grande velocidade. Travou quase em cima deles com uma chiadeira incrível e lá de dentro saltaram ao mesmo tempo um homem e uma mulher. Vinham brancos de aflição! O Chico foi espreitar o doente com curiosidade. Não era impressionável e a vista de sangue nunca o incomodou. Mas no banco de trás não havia ninguém doente. Apenas uma mulher, lívida também, e com uma barriga tão grande que se diria prestes a estoirar. Os acompanhantes ajudaram-na a sair com gestos solícitos e temos:

— Está quase, minha filha! Está quase...

A rapariga grávida gemia baixinho, e afinal sempre havia sangue, pois ela, com as dores que a afligiam, tinha trincado o lábio inferior com toda a força. Um fiozinho encarnado escorria-lhe pelo queixo, mas ninguém reparou senão o Chico. Desviando-se do caminho, sorriu e em pensamentos desejou-lhe boa sorte.

— Será menino ou menina? — perguntou o Eduardo, sem se dar conta de que falava alto.

E o marido respondeu automaticamente:

— É um rapaz. Soubemos ontem.

Depois, a família toda desapareceu dentro do hospital. O Chico e o Eduardo voltaram a ficar sós e, embora sem motivo, sentiram uma certa emoção. Claro que à mesma hora estavam a nascer milhares de crianças em todo o mundo, mas aquele rapazinho passara-lhes debaixo do nariz poucos minutos antes de lançar o seu primeiro berro de triunfo: «Buá!»

— Como é que achas que lhe vão chamar? — perguntou o Eduardo.

— Sei lá!

— Tem piada, isto de as pessoas agora saberem se é rapaz ou rapariga antes de o bebé nascer!

— Pois é. Assim já não há motivo para desilusões. Quando eu nasci, os meus pais queriam uma menina — disse o Chico. — Como já tinham o meu irmão mais velho, apetecia-lhes variar!

O Eduardo ficou silencioso. O escuro, a solidão, uma vida nova prestes a iniciar-se, enfim, tudo junto era propício às confidências.

E numa voz neutra pôs-se a falar de si próprio e da sua família:

— Eu não desiludi ninguém. Ambos queriam um rapaz a todo o custo e nasci eu. Parece que o meu pai ficou louco de alegria e nessa noite até apanhou uma bebedeira. Mas depois, olha, foi ele quem me desiludiu a mim...

Calou-se tão subitamente como tinha começado e deixou o Chico em embaraços. Não era pessoa para aquelas conversas... No entanto, sentiu-se obrigado a dizer qualquer coisa:

— Ter os pais separados deve ser uma chatice!

— É. Ao princípio fartei-me de chorar, sabes? Mas depois a gente habitua-se. Estavam sempre a discutir. Talvez até tenha sido melhor. Já estou habituado.

— A gente acostuma-se a tudo, não é?

— Claro. Agora já só me custa quando falo nisso.

Prático como sempre, o Chico perguntou:

— Então para que é que falas?

O Eduardo não pôde deixar de rir:

— Tu és um tipo com piada!

Naquele momento, outro automóvel furou a noite. De faróis acesos, fez uma curva larga e parou mesmo à porta. O Chico olhou lá para dentro. Mas logo deu um salto para trás. Acabara de reconhecer um dos ocupantes! E puxando o amigo por um braço balbuciou:

— Eh, pá! Por esta é que eu não esperava...

— Hã?

— Nada... espera que eu já te explico.

Três indivíduos saíram do carro e o condutor seguiu, para arrumar o *Fiat* no parque de estacionamento.

O Eduardo e o Chico ficaram a ver. O doente chamava-se Albino Alves. Teve de dizer o nome e a morada a um empregado que estava no guiché tomando nota de quem recorria ao Banco do hospital. Só depois entrou. O porteiro não deixou os outros entrarem com ele, pois o estado de saúde do doente não justificava companhia.

— Quem são? Conheces? — perguntou o Eduardo.

— Conheço, pá!

O Chico falou tão baixo que quase nem se fez ouvir.

— Hã?

— Anda cá, anda para aqui...

Os dois rapazes afastaram-se, mas o casal seguiu-os.

— Achas que vêm atrás de nós? — perguntou o Eduardo num sussurro.

— Não. Eles não repararam em mim.

— Quem são?

— A mulher, nunca a vi. Mas o homem é o Alberto.

— E que é que isso tem de especial?

— É ladrão. Devia estar na cadeia.

— Como é que sabes?

— Sei, porque ajudei a prendê-lo.

— Tu?

— Sim, eu e os outros. Ele fazia parte de

uma quadrilha que tentou roubar a Custódia de Belém! (¹)

— Terá fugido da cadeia?

— Não sei.

Encolhidos atrás de uma carrinha, viram o tal Alberto mais a sua companheira dirigirem-se para o carro. Talvez quisessem esperar confortavelmente instalados, mas o condutor saiu cá para fora e pôs-se a bater com os pés no chão.

— Safa! Fiquei com uma perna dormente! — queixou-se. — É cá um formigueiro!

O Eduardo e o Chico, mesmo sem combinarem, puseram-se à escuta. Não estava mais ninguém por ali, e julgando-se sozinhos era possível que dissessem qualquer coisa interessante.

— Tens a certeza de que é ele? — perguntou ainda o Eduardo.

— A certezinha absoluta. Uma figura assim não se esquece.

De facto, o Alberto era altíssimo, escanzelado, e o tempo que passara atrás das grades não lhe tinha feito perder o tique de abrir e fechar a boca como um cavalo quando mastiga o freio. Parecia impaciente e inquieto, agitando-se de

(¹) *Uma Aventura nas Férias da Páscoa*, n.º 19 desta coleção.

um lado para o outro. A mulher, essa, sentara-
-se na mala do carro com as pernas a balouçar.

— Oxalá que isto não demore muito! —
suspirou o condutor. — Está frio e tenho a
barriga a dar horas.

— Ó Albano! Lá estás tu com a mania das
pressas. O Albino foi ser atendido pelo médico,
temos de esperar o tempo que for preciso.

— Diabo! Sempre com cólicas, sempre com
cólicas! Bebe de mais, come de mais e depois
a gente é que se trama...

— Ora, ora! Desta vez até dá jeito — disse
a mulher.

— Jeito? Para quê?

— Para falarmos aqui com o Alberto. Temos
muito que conversar!

O Eduardo e o Chico arrebitaram a orelha.
Iriam talvez referir de que modo se tinha safado
da prisão?

O Alberto, no entanto, parecia pouco disposto a conversas. De cabeça baixa limitou-se
a dizer:

— Falamos noutra altura.

— Ora essa! Porquê?

Ele encolheu os ombros e ficou mudo.

— Já não queres saber da tua prima Alzira?
É? Olha que eu fui a única pessoa da família
que hoje se lembrou de te ir esperar à cadeia.

— Eu sei, eu sei!

— Então, ouve.

O Eduardo deu uma cotovelada no Chico.

— Eh, pá! Aleijaste-me — reclamou em voz baixa.

— Pst! Não te ponhas com lamúrias e ouve. Pelos vistos o tipo saiu hoje!

Sempre escondidos atrás da carrinha, puderam acompanhar perfeitamente o diálogo.

O Alberto tinha sido posto em liberdade sem completar a pena por bom comportamento. Os seus companheiros do roubo ainda estavam presos e iam continuar. A mulher era prima dele, chamava-se Alzira, e parecia bastante mais enérgica e despachada do que todos os homens do grupo, que aliás davam a impressão de lhe obedecer. Baixa, muito magra também, vestia jeans e botas de couro até ao joelho. Falava pelos cotovelos, o que naquele caso não podia vir mais ao encontro dos desejos do Chico e do Eduardo. Mas ambos consideravam que aquela mulher devia ser uma estafa a seringar aos ouvidos de toda a gente!

Tal como o Chico previra, explicou-se sem rodeios por pensar que estava sozinha com os amigos no parque de estacionamento. E o que ela queria era convencer o Alberto a juntar-se à quadrilha que tinha organizado.

— É a quadrilha dos Al... tu não vês? Eu sou a Alzira. Este aqui é o Albano, lá dentro a tratar-se está o Albino... só faltas tu, Alberto! Todos juntos havemos de dar que falar por esse País fora!

— Hum... não sei se me quero envolver — respondeu ele, sempre de cabeça baixa. — A primeira vez que me meti num roubo não lucrei nada, fui apanhado e passei vários meses na cadeia! Acho que não tenho jeito para estas coisas!

A Alzira e o Albano riram-se com gosto e depois bombardearam-no com opiniões e sugestões, interrompendo-se um ao outro e falando tão perto do pobre rapaz que quase o sufocavam:

— Ainda bem que foi a primeira vez! Por isso mesmo é que apanhaste uma pena mais leve!

— E foi por isso que te deixaram sair mais cedo...

— Por bom comportamento!

— O que nós precisamos é de um tipo bem--comportado como tu...

— E isso do jeito, aprende-se.

— O que é preciso é prática.

— Eu também já estive presa.

— E eu? Por duas vezes!

— Não sejas maricas!

— Junta-te a nós!

O Chico teve de se segurar para não sair do

esconderijo e correr aqueles dois a pontapé! O outro estava arrependido, queria mudar de vida e não o deixavam em paz.

— Estou cá com umas ganas! — murmurou entredentes. — Se continuam com isto ainda vão ver...

— Quieto, pá! — aconselhou o Eduardo.

— Não vale a pena a gente meter-se porque não serve de nada. Dão-nos uma tareia e vão conversar para outro sítio!

— Dão-nos uma tareia? Mas também levam!

— E isso serve para quê? Vamos mas é embora!

O Eduardo já recuava, puxando o Chico pela manga, quando a conversa dos ladrões tomou um rumo que o fez estacar:

— De resto — dizia o Albano —, o golpe que estamos a preparar nem sequer é um roubo!

— Pois não. Eu já te disse o mesmo! Ouvimos na rádio a história do tesouro escondido pelo rei e temos tanto direito de o ir procurar como outra pessoa qualquer. É ou não é?

— Ora, isso são cantigas. Vocês querem-me enrolar. Não sabem onde estão as tais joias, fingem que vão procurar e depois, como não encontram, metem-se a roubar aí no supermercado, ou numa loja, e o mais certo é irmos todos parar à cadeia.

— Nada disso, Alberto! Vamos encontrar o tesouro, garanto-te! E depois ficamos tão ricos que até nos podemos reformar.

— É o último golpe...

— E nem é um golpe! O rei já morreu. As joias não têm dono.

O Eduardo e o Chico entreolharam-se.

— Parece que não fomos os únicos a ouvir a notícia!

— Temos parceiros na caça ao tesouro.

— E que parceiros...

Nesse momento, o Eduardo deu com os olhos no mostrador do relógio e ficou verde.

— Hi! Olha só as horas!

— O que é que tem?

— Esqueceste-te do que viemos aqui fazer?

— É verdade. Se a tua mãe sai e não nos vê fica possessa.

Deixando atrás de si a quadrilha dos Al, o Eduardo apressou-se a voltar para a porta das Urgências.

— Palpita-me que esta não foi a última vez que nos encontrámos — suspirou o Chico, deitando um último olhar aos três indivíduos que gesticulavam sentados na mala do seu velho *Fiat*.

Capítulo 8

Ao microfone

De regresso a casa, o Chico e o Eduardo não abriram a boca. A mãe estranhou-lhes o silêncio mas não disse nada, pensando que estivessem cansados. A verdade, porém, era outra. Como não podiam falar do que lhes interessava, também não conseguiam falar de qualquer outra coisa.

Quando finalmente se apearam, para grande espanto de Ilda, o Chico não se despediu e meteu-se com eles no elevador.

— Olha que já é tarde — disse. — Gosto muito que venhas cá a casa, mas agora talvez fosse melhor irem-se deitar.

— Ó mãe, desculpe lá, mas eu e o Chico tínhamos combinado ir ainda lá acima...

— Fazer o quê?

— A... é que... bem, sabe...

Vendo o amigo tão atrapalhado e incapaz de inventar uma história convincente, o Chico resolveu intervir:

— Ele tinha-me prometido mostrar como funciona aquela aparelhagem da Rádio Pirata.

— Ah! Está bem. Mas não demorem, que amanhã têm de se levantar cedo.

Radiantes, os dois rapazes não esperaram nova ordem, e subiram ao terraço na maior excitação. Ambos queriam sobretudo falar com os amigos, contar o que tinham ouvido no parque de estacionamento e fazer planos. E como lhes parecia tarde para telefonar, tencionavam estabelecer contacto através da rádio.

Lá em cima fazia um frio de rachar, mas não se ralaram com isso. O Eduardo abriu a portinhola do seu estúdio improvisado, sentou-se na cadeira de locutor e, com gestos nervosos, pôs os mecanismos necessários em funcionamento. No entanto, como não lhe ocorreu logo o que havia de dizer, limitou-se a uma frase simples:

— Boa noite, senhores ouvintes... convosco, Rádio Pirata!

Depois deixou um disco de música brasileira a entreter os possíveis ouvintes e perguntou ao Chico:

— O que é que eu digo, pá? Como é que os hei de chamar?

— Não sei. De resto, se calhar nem estão a ouvir.

— Achas que já se deitaram?

— É possível.

— Mas quero fazer uma tentativa.

— Está bem. Então diz qualquer coisa que só eles entendam...

— O quê?

— Hum... olha, entrevista-me! Pergunta-me coisas e eu vou respondendo. Talvez eles percebam que temos novidades.

O Eduardo sorriu e pôs os auscultadores. Geralmente saía-se bem com improvisos. À medida que ia falando, surgiam-lhe ideias e mais ideias, agarradas umas às outras num magnífico encadeamento. Tinha jeito para aquilo, sem dúvida. Mas nessa noite sentia-se um pouco inseguro. Era tanta coisa a agitar-se dentro dele que receava gaguejar e dizer idiotices ao microfone, o que seria um descrédito para a sua Rádio Pirata. Mas apesar do nervosismo, resolveu tentar. Respirou fundo, carregou nos botões adequados e, procurando um tom alegre, anunciou:

— Hoje temos connosco o famoso Chico... aluno da escola preparatória e campeão desportivo do nosso bairro. Boa noite, Chico!

Com os olhos brilhantes de entusiasmo, ele chegou-se ao microfone constatando que tinha a boca demasiado seca. Talvez por isso a voz lhe saiu tão rouca que nem se reconheceu a si mesmo.

— Boa noite! Boa noite a todos.

— Ora o Chico vai-nos falar um pouco da sua vida de estudante...

Aquela frase inesperada fê-lo dar um pulo e fulminou o amigo com o olhar. A sua vida de estudante! Que ideia tão estúpida. Quanto a isso, não sabia de todo o que havia de dizer, e também não interessava. Mas, de súbito, julgou perceber:

— Bom, quanto à minha vida de estudante, não tenho nada de especial a dizer! Faço parte de uma turma barulhenta e o melhor aluno é o Pedro... Se ele estivesse connosco, esse sim, podia falar de estudos, porque é um craque...

Embalado pela conversa, ansioso por chamar o amigo para ao pé de si, não resistiu mais e berrou ao microfone:

— Pedro! Estás a ouvir? Anda cá ter, pá!

Escusado será dizer que o Eduardo lhe deu uma sapatada no braço e se apressou a transmitir música outra vez. E enquanto os ouvintes se entretinham agora com o Michael Jackson, ralhou:

— Tu estás parvo? Então isso é maneira de falar na rádio?

— Desculpa lá! Descontrolei-me!

— És mesmo louco de todo!

Os dois rapazes acabaram por rir do incidente, e lá foram entremeando música com frases soltas, sempre na esperança de que os outros estivessem à escuta.

Àquela hora, o João dormia a sono solto com o *Faial* roncando aos pés da cama. As gémeas bocejavam de cansaço diante do caderno de Matemática, pois a seguir ao jantar tinham ficado a ver uma série policial e só mais tarde se lembraram dos malditos trabalhos de casa. Portanto, nenhum deles ouviu os recados subtis que flutuavam pelo bairro em frequência modulada. Só o Pedro captou a mensagem. E a conversa que apanhou no ar pareceu-lhe tão apatetada que achou melhor ir até lá. O Eduardo, embora muito novo, tinha alguma experiência de rádio. Inventava histórias mirabolantes e com graça. Se nessa noite não era capaz, alguma coisa se passava de anormal.

Aproveitou o facto de os pais terem ido jantar fora, e com pezinhos de lã para a irmã mais velha não se aperceber saiu porta fora. A precaução fora inútil, porque, entretida ao telefone com o namorado, não tinha ouvidos para mais ninguém senão para ele.

Assim, durante alguns segundos, o coração dos dois irmãos bateu com força igual, mas por motivos bem diferentes. O dela, porque estava apaixonada. O dele, porque acabara de se escapar de casa sem ninguém saber!

Quando o Chico e o Eduardo ouviram passos no terraço, quase desmaiaram de alegria!

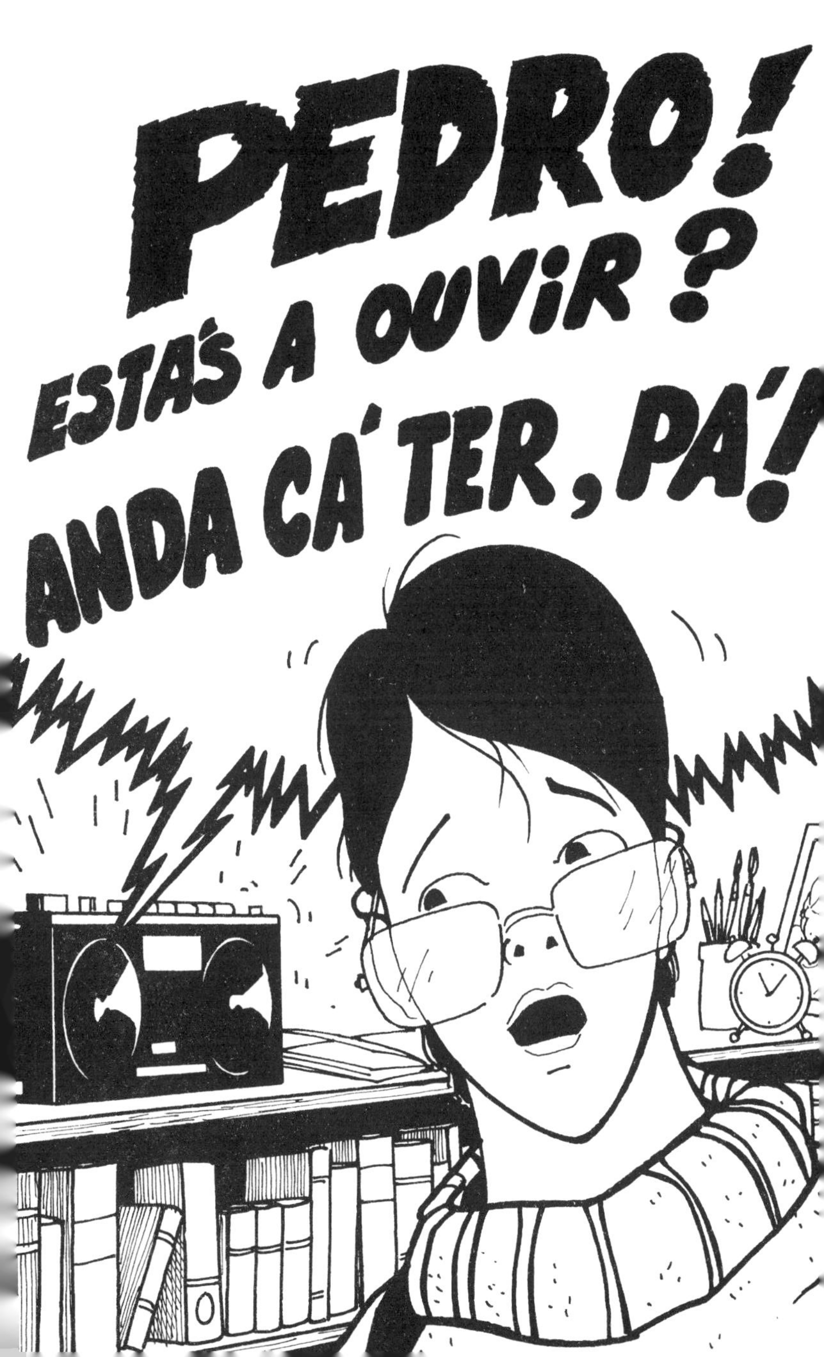
PEDRO!
ESTÁS A OUVIR?
ANDA CÁ TER, PÁ!

— Conseguimos! — berraram em coro, esquecidos de que o microfone estava ligado.

Vários ouvintes da Rádio Pirata ficaram admiradíssimos. Houve até um velhote que perguntou à mulher:

— O que foi isto?

— Nada — respondeu ela. — Com certeza o rapaz ganhou algum concurso!

O Eduardo, entretanto, apressou-se a encerrar a emissão. E o Pedro foi bombardeado com frases desconexas. Ambos queriam contar-lhe a história o mais depressa possível, de modo que se atropelavam, interrompiam, deixavam uma explicação no meio para começarem outra, numa tal confusão que ele teve de dizer «Basta!». Ainda demorou o seu tempo, mas acabou por ficar a par de tudo.

— Temos de fazer alguma coisa... — murmurou quando os outros se calaram. — Se queremos ser os primeiros a pôr «a pata» no tesouro, não podemos deitar-nos a dormir!

— Eu também acho. Deve haver vários grupos com a mesma intenção. Lembrem-se de que muita gente ouviu a mesma história que nós.

— Claro, Eduardo. E até já sabemos que um desses grupos é uma quadrilha...

— O que torna a tarefa perigosa. Uma quadrilha não está com meias-medidas. Se percebem que nos atravessamos no seu caminho... zás! Dão cabo de nós.

— Isso é que era bom! — respondeu o Chico todo fanfarrão. — Eles são quatro e nós somos seis!

— Está bem. Mas com certeza não queres ver as gémeas à luta com dois marmanjões!?

— Ora, ora! Elas são mais fortes do que as pessoas pensam. E depois, se fosse preciso, enquanto eu lhes esmurrava as trombas, elas ajudavam à canelada... até era giro!

O Eduardo e o Pedro não puderam deixar de rir com tal imagem.

— Se elas te ouvissem, ficavam delirantes.

— Eu sei. Mas olha que não estou a dizer mentira nenhuma. A Teresa e a Luísa são capazes de tudo. Uma vez lá na escola um tipo meteu-se com elas e não queiram saber...

— Está bem, está bem! De qualquer forma, temos de nos despachar. Quem chegar primeiro ao tesouro é que fica com ele.

— Convém não esquecer que temos adversários, hã? «Homem prevenido vale por dois!»

— Nesse caso, «seis pessoas prevenidas valem por doze...» Ena, que grande grupo que a gente tem!

— És louco de todo, pá!

— Piraste de vez!

Capítulo 9

Uma fonte com poderes mágicos

No dia seguinte, quando puseram as gémeas a par de tudo, elas ficaram excitadíssimas e foi a Luísa quem propôs começarem as buscas nessa mesma tarde. Depois de muito discutirem, optaram por visitar primeiro o Mosteiro dos Jerónimos. A seguir ao almoço meteram-se no autocarro sem terem feito nenhum plano prévio.

Quando se apearam em frente do monumento, lá vieram as dúvidas que não tinham tido pelo caminho.

O edifício era imponente, majestoso e lindo como talvez nenhum outro. Mas era também enorme. Se o tesouro estava ali escondido, qual seria o recanto, a pedrinha exata que deviam procurar?

— O melhor é entrarmos — disse o Pedro —, e depois logo se vê.

Diante da porta principal estava bastante gente. Turistas, visitantes e até duas escolas primárias da zona que iam fazer uma visita de estudo. Por qualquer motivo que não perceberam logo, vários repórteres de câmara e gravador à tiracolo passeavam para cá e para lá como se esperassem alguma coisa. Estava um dia bonito, de céu azul e nuvens fofas, de uma brancura manchada, tal como as pedras que ali se erguiam para o céu há quinhentos anos bem contados ([1]). Mesmo que não houvesse o aliciante do tesouro escondido, ter-lhes-ia apetecido entrar! O Pedro ia à frente e, sem saber porquê, em vez de se dirigir à igreja seguiu um grupo de miúdos a quem a professora encaminhara para o jardim interior, rodeado de arcarias tão antigas como elegantes.

— Não fazia a mínima ideia de que esta igreja tinha um jardim cá dentro — exclamou o João. — Que agradável!

Foi uma rapariga de olhos claros quem lhe respondeu, muito sorridente:

— Isto é o claustro. Era aqui que os monges jerónimos passavam as suas horas vagas, meditando, rezando...

— E conversando! — disse uma outra, morena, de carinha redonda.

— Como é que sabe? — perguntou a Teresa. Puseram-se as duas a rir.

([1]) A primeira pedra do edifício foi posta a 6 de janeiro de 1501.

— Nós trabalhamos aqui. Temos de saber, para fazermos visitas guiadas.

— Ah!

— Se quiserem, juntem-se a essa escola para ouvirem a explicação.

As gémeas consultaram os amigos com o olhar. Valeria a pena? Eles não estavam ali para aprenderem nada e, se as guias soubessem onde estava o tesouro, com certeza já o tinham retirado do seu esconderijo e dado a notícia a toda a gente. Mas o Pedro fez-lhes sinal para que seguissem o grupo. Era uma maneira de começar como qualquer outra. Portanto, lá foram dando a volta ao claustro, olhando ora para o jardim central, muito bem tratado, ora para as arcadas de pedra ou para as paredes onde escultores talentosos deixaram cabeças de navegadores e sinais misteriosos cujo significado ninguém sabe muito bem qual é.

De repente, porém, o Chico deu um salto para trás e pisou o Eduardo com toda a força.

— Ai! Bruto!

— Desculpa, desculpa...

As crianças da escola primária riram-se e avançaram um pouco mais, atrás da guia.

Mas o Chico recuou, piscando um olho aos amigos:

— O que foi? — perguntou o João em voz baixa.

— Vocês estão a ver o mesmo que eu?

— Hã?

— A ver o quê?

— Aquilo, pá! Olhem só!

O que fizera saltar o Chico era, nem mais nem menos, do que uma fonte redonda, muito bonita, aliás. A água escorria por um leão de pedra branquíssima, de juba lisa e patas estendidas.

— Meu Deus! Será possível! — murmurou a Teresa, enquanto a irmã se punha a recitar:

O gigante é todo pedra
Sua força é a do leão...

— Vocês acham que...

— Eh pá, só pode ser!

— Magnífico! Magnífico! — exclamou o Eduardo, a quem o nervosismo provocara soluços.

— Ma... gnífico!

Com um aperto no estômago, as gémeas aproximaram-se da fonte. Se calhar estava ali guardado há séculos, o saquinho de joias que procuravam. Era bom de mais para ser verdade!

O leão pareceu-lhes a estátua mais linda que tinham visto em toda a sua vida. Dir-se-ia que até brilhava, que tinha luz própria, uma luz branca e doce bailando nas águas.

— «Benditas, benditas águas»... — recitou desta vez o Pedro, com a voz alterada pela comoção.

— É aqui. É aqui mesmo!

Embora pouco dado a poesias, o Chico julgou ouvir uma musiquinha suave a chamá-lo para a beira da fonte. E aproximou-se com uma expressão tão estranha no olhar, que a guia reparou:

— Ena! Pareces hipnotizado...

— E estou! — respondeu ele com um sorriso de orelha a orelha.

O Pedro achou melhor intervir para não despertar suspeitas:

— Este meu amigo é louco por esculturas, sabe? Quando vê uma estátua bonita fica assim.

Ela mirou-o de alto a baixo, com um vago sorriso. Era evidente que não acreditava no que lhe diziam mas fez de conta.

Entretanto, a outra guia juntou-se a eles e perguntou:

— Já contaste a história da magia?

— Qual magia? — berraram os seis a uma só voz.

— Mas que entusiasmo! Calma, meninos, calma. A magia é muito simples. Dizem que quem tocar na pata do leão e fizer um pedido, o seu desejo realiza-se.

— A sério?

As guias voltaram a rir.

— Pelo menos é o que dizem — explicou uma. — Como vocês com certeza sabem, há muitas lendas que falam de fontes encantadas com poderes mágicos.

— Mas podem experimentar — sugeriu a outra. — As lendas sempre têm um fundo real... talvez a água fosse o maior desejo dos homens de outros tempos...

O Chico corou violentamente. A frase da guia acabava de fazer juntar na sua cabeça duas palavras: «fundo» e «água».

Para grande espanto de todos os presentes, em vez de fazer uma festa na pata do leão, enfiou o braço dentro de água e pôs-se a apalpar o fundo do tanque, num verdadeiro frenesim.

— Estás louco? — perguntou o Pedro. As guias entreolharam-se, desconfiadas. Aquele rapaz com certeza tinha um parafuso a menos! Mas habituadas a lidar com muitos tipos de visitantes, fingiram julgar que se tratava de um equívoco:

— Não é aí, filho! Os poderes mágicos estão na pata do leão! Na pata!

— Ah! Pois... acho que não percebi bem — balbuciou ele, retirando o braço encharcado até ao cotovelo.

— Agora vais ter frio...

— Não! Eu já estou habituado.

Claro que os rapazes da escola primária se puseram a gozar, e houve logo um que se preparava para fazer a mesma coisa. Só que a professora chegou a tempo e impediu-o.

A visita de estudo ao claustro chegara ao fim. Era altura de irem ver a igreja por dentro e o grupo dirigiu-se à porta de saída.

— Vocês não vêm?

— Vamos, sim! Claro que vamos — exclamou o Eduardo, sem sair do mesmo lugar.

As guias ficaram à espera mas nenhum deles se mexeu.

— Então?

— A... não se preocupem connosco — disse a Teresa. — Gostamos de estar aqui e não nos apetece ir embora.

— Pois é. Eu cá adoro claustros! E vocês?

— Nós também — respondeu o João prontamente. — É excelente.

A guia ergueu as sobrancelhas com ar de poucos amigos.

— É excelente? Excelente o quê?

— Estar aqui. É bonito.

— Nós gostamos!

Se a conversa não fosse tão parva, talvez os tivessem deixado em paz. Afinal de contas, aquele espaço está aberto ao público e cada um tem o direito de demorar o tempo que lhe apetecer dentro dos monumentos nacionais. Só que o comportamento deles, as patetices que diziam, obrigaram as guias a vigiá-los, receando que fizessem algum disparate.

— Bom, o melhor é virem connosco — disse uma, com voz firme. — Já viram o que tinham a ver.

Contrariados, seguiram-na arrastando os pés para demorarem mais tempo, sempre na esperança de terem uma ideia luminosa para explorarem cada pedrinha daquela fonte. Mas nada!

Só quando já iam de saída é que o Chico se lembrou de gritar:

— Esperem! Esperem aí, que eu não me demoro...

Numa corrida voltou atrás, apalpou o leão dos pés à cabeça, passou os dedos por dentro da fonte, por fora, pelo rebordo de pedra... enfim, não houve um milímetro que ficasse em branco. Mas não aconteceu nada. Pelo menos nada do que eles queriam, porque a guia resolveu pôr ponto final na brincadeira e foi buscá-lo, já chateada.

— Desculpe — disse o Chico, afogueado e envergonhadíssimo. — Não foi por mal. É que um... olhe, fiz um pedido muito importante e tive medo que tocar na pata não chegasse. Achei melhor tocar no corpo todo!

Abafando o riso, saíram finalmente do edifício.

— Bom... na fonte não está! — segredou a Luísa ao ouvido do Pedro.

— Nem podia estar. Lembrei-me agora mesmo do resto dos versos.

— Como eram?

... Para lhe chegar à cinta
três homens não bastarão.

—Ah! Pois é. Que estupidez! O leão é mais baixo do que um homem.

— Por que é que não me disseste, Pedro? Escusava de ter feito figura de parvo.

— Que é que queres? Não me lembrei a tempo.

— Ó meninos! — berrou a Teresa que ia à frente. — Venham cá ver isto, que vale a pena!

.

Capítulo 10

Um casamento de palhaços

Em frente ao mosteiro a algazarra era inconcebível! E tudo por causa de um casamento. Mas um casamento bem original, pois a noiva, o noivo, a família, os convidados e até a menina das alianças vinham todos vestidos de palhaços ([1]). Roupas coloridas, cabeleiras, grandes ramos de flores, chapéus de todos os feitios! Dois rapazes faziam o acompanhamento musical tocando concertina.

Os repórteres acorreram em massa. Uns tiravam fotografias, outros tentavam entrevistá-los. Mas eles continuavam o seu percurso a caminho da igreja, muito sérios. No entanto, quem reparasse com atenção podia ver por baixo da pintura em tons berrantes um grande sorriso de felicidade. Eram palhaços, gostavam da sua profissão e, portanto, decidiram que o casamento seria assim, com traje a rigor.

([1]) A história do casamento de palhaços é verdadeira e aconteceu mesmo nos Jerónimos.

Muita gente se juntou ali para ver e todos pareciam achar graça menos o padre.

— Isto não é um circo! — declarou, zangado. — Ou vão a casa mudar-se ou não os caso!

Foi quanto bastou para que estalassem as discussões. Uns, berrando que não havia direito, outros, que tinha toda a razão.

— Que maneira de se apresentarem!

— Ora, o que é que tem?

— A igreja não é lugar para palhaçadas!

— Eles são palhaços, não querem faltar ao respeito... só querem casar-se com o fato de todos os dias!

— Os palhaços não andam assim vestidos todos os dias!

— Mas é o fato dos espetáculos!

— O casamento não é nenhum espetáculo!

— Ai não? Então por que é que as noivas se vestem de branco, com um fato até aos pés, cauda e flores na cabeça?

— Isso é diferente!

— Não é, não senhor! Querem parecer bonitas! Ora, para estes, o fato que trazem é o mais bonito que conhecem...

As gémeas observavam tudo, divertidas. Nunca tinham visto uma coisa assim e não sabiam bem de que lado estavam.

A palhacinha das alianças chegou-se ao pé delas quase a chorar. Era muito pequenina e ficou assustada com aquela confusão toda.

— Não chores — disse-lhe a Teresa. — Isto daqui a nada resolve-se.

— Tínhamos preparado uma festa tão bonita — queixou-se em voz débil.

Duas lágrimas verdadeiras assomaram por cima de duas outras lágrimas que alguém lhe pintara na bochecha.

A Luísa passou um braço por cima dos ombros da criança para a consolar.

— Tem calma! Isto resolve-se.

O Chico optara por discutir com o padre, pois considerou a sua atitude muito injusta:

— O senhor não está a ver bem as coisas! Se eles fossem para-quedistas e viessem fardados, com certeza não os punha fora, pois não?

— A farda dos para-quedistas é uma coisa séria — respondeu ele.

— Mas para os palhaços, o fato de trabalho também é uma coisa séria!

— Tudo tem limites — berrou o padre. — Se eu consinto nestas brincadeiras, para a semana tenho cá um cortejo de nadadores em fato de banho!

— Tem toda a razão!

— Não tem, não senhor...

Enfim, a balbúrdia ameaçava prolongar-se pelo resto da tarde, mas felizmente alguém se lembrou de telefonar para o Patriarcado a pedir

ordens. De lá, disseram que o casamento podia efetuar-se. Não no altar, mas na sacristia. E lá entraram todos, por fim, com os repórteres no encalço.

Cá fora, os ânimos foram serenando. Não tardou que a guia retomasse as explicações, que eles acompanharam distraidamente, divididos entre o que ela dizia sobre as esculturas da porta principal e a cena a que tinham assistido.

No entanto, a certa altura ficaram todos alerta! Entre as estátuas de pedra havia uma de S. Jerónimo.

— A lenda conta que S. Jerónimo quando rezava no deserto encontrou um leão...

Aquela palavra imobilizou-os. Um leão outra vez... seria desta?

— Pois o leão tinha um espinho cravado na pata. S. Jerónimo teve pena e, em vez de fugir do animal, tratou-o com muito carinho. Desde esse dia, o leão nunca mais o abandonou, tornou-se seu companheiro. É por isso que nas estátuas ou nas pinturas em que aparece S. Jerónimo, aparece sempre um leão também.

O Chico aproximou-se do portal e fez os seus cálculos. Se esticasse o braço, não chegava à estátua.

— Pedro — chamou.

Mas tanto o Pedro como o Eduardo já estavam atrás dele.

— Schut! Não digas nada.

— Parece-te que...

— Pschiu! Caluda!

A um sinal do Eduardo, o grupo reuniu-se e recuou até onde não os pudessem ouvir. Depois foi o Pedro quem tomou a palavra:

— Este S. Jerónimo está longe do chão. Para lhe tocar temos de subir a um escadote...

— Ou pormo-nos às cavalitas uns dos outros...

— Isso mesmo. Talvez seja aqui o esconderijo. O verso dizia: «Para lhe chegar à cinta, três homens não chegarão...»

— Querem tentar?

— Queremos. Mas esperem um bocadinho até ir toda a gente embora.

Impacientes, encostaram-se à parede. A história do casamento levara quase tudo para dentro da igreja. Faltava apenas um pequeno grupo de turistas que não se cansava de fazer perguntas e mais perguntas, às quais a guia ia respondendo com um sorriso simpático. Por fim, lá seguiram para o interior, interessados em ver os túmulos de Camões e de Vasco da Gama.

— Temos de aproveitar enquanto não aparece mais malta...

O Chico plantou-se por baixo da estátua de pernas abertas e mão na cintura.

— Eu sou o mais forte. Quem é que sobe para os meus ombros?

— Eu — disse o Eduardo. — Podes comigo?

— Posso, pois! Vá!

Com a ajuda do Pedro e do João, ele amarinhou pelo Chico e equilibrou-se lá em cima, embora com alguma dificuldade.

— E agora?

— Agora tu, João! És mais leve!

— Mas os versos diziam «três homens»! O João não tem o tamanho de um homem...

Deixem-se de conversas — berrou o Chico. vermelho de esforço. — Julgam que eu sou o quê? O Gigante Adamastor? Despachem-se!

O João, ágil como mais nenhum e leve como uma pena, subiu pelos dois amigos, utilizando--os como se fossem realmente uma escada. E empoleirou-se de braços abertos.

— Que tal, hã?

Nesse momento, surgiu de novo a guia, que parou, estupefacta:

— Que é que vocês estão aí a fazer?

Claro que a coluna humana se desmoronou no mesmo instante. Comprometidos, olharam para ela sem saber o que dizer. Uns puseram-se a sacudir o fato, outros à procura de qualquer coisa no chão. Até que o Chico gaguejou:

— A... ficámos entusiasmados com o circo. Queríamos ver se à saída nos contratavam para equilibristas!

A resposta inesperada fez rir toda a gente. Até a guia! De qualquer forma, estavam a tornar-se cansativos com tanta asneirada e sugeriu-lhes:

— Olhem lá, por que é que vocês não vão ver a Torre de Belém, hã?

— A... era boa ideia.

— Então, se concordam, despachem-se. Fecha às cinco horas.

— Hum... vamos? — perguntou o Pedro.

As gémeas encolheram os ombros.

— Parece que é melhor...

Afastaram-se então, caminhando vagarosamente.

— Que azar, pá!

— Não foi tanto azar como isso. O tesouro não está ali.

— Como é que sabes, Pedro?

— Sei, porque quando o João se pôs de pé nos ombros do Eduardo ficou muito acima da cintura do S. Jerónimo.

— Tens a certeza?

— Tenho. Não disse nada porque chegou a guia. Mas vi bem.

— Então e agora?

— Agora vamos à Torre de Belém.

A conversa decorria entre a Luísa e os três rapazes, porque a Teresa e o Eduardo iam um bocadinho à frente.

— Olha lá, Teresa, quando te casares como é que queres ir vestida?

Ela corou até à raiz dos cabelos.

— Sei lá!

— Por que é que ficaste assim tão encarnada?

— Eu? — perguntou ela, fingindo-se desentendida.

— Sim, tu!

O Eduardo deteve-se à borda do passeio e fitou-a bem de frente, olhos nos olhos. Sorriram ambos, mas a Teresa desviou a cara. Estava envergonhadíssima e furiosa por não conseguir disfarçar. Até teve medo de que ele ouvisse as batidelas do coração, que pulsava dentro do peito como um cavalo a galope. Quis chamar os outros, mas receou que a voz lhe saísse um pouco alterada. Quem acabou por desfazer o enleio foi o próprio Eduardo:

— Vamos ter com eles, anda! — disse num tom muito doce, tão doce como nunca tinha ouvido outro. — A caça ao tesouro ainda não acabou!

A Teresa obedeceu. Ele seguiu-a de perto, e aproveitou para lhe puxar uma madeixa de cabelo. Mas ao de leve, sem magoar.

— O que é que vocês têm? — estranhou o João, quando os viu aparecer na frente dele.

— Nós?

— Sim! Estão com os olhos tão brilhantes que com certeza tiveram alguma ideia sensacional!

A Luísa disfarçou um sorriso e não disse nada. A Teresa retirou um lenço e assoou-se ruidosamente. Mas o Eduardo não se atrapalhou:

— Tivemos uma excelente ideia, sim. Já viram que é difícil procurar o esconderijo das joias no meio de outras pessoas, não é verdade?

— Pois é, mas não há outra hipótese!

— Há, sim, senhor! Entramos na Torre de Belém, e escondemo-nos. Quando fechar ao público, vai-se tudo embora e ficamos sozinhos. Nessa altura remexemos à vontade.

— E depois para sair?

— Saímos de qualquer maneira! Por uma janela...

— Ou mesmo lá de cima. Só precisamos de uma corda.

— Acho excelente — disse a Luísa. — Mas o pior são as horas de regressar a casa...

— Quanto a isso, resolve-se. Telefonamos a dizer que fomos convidados para jantar em casa do Eduardo. E ele fala à mãe a dizer que vai jantar a nossa casa... Que tal?

— Perfeito. Vamos a isso!

Capítulo 11

Na Torre
de Belém

Já iam a meio do caminho quando se lembraram de que o programa não incluía jantar e estavam todos cheios de fome. A Luísa propôs que voltassem atrás para irem comer pastéis de Belém, o que foi prontamente aceite. A pastelaria era ali mesmo ao princípio da rua. Por cima da montra emoldurada a azul, um toldo enrolado exibia letreiro bem invulgar:

«A única fábrica dos pastéis de Belém.»

Lá dentro estavam imensos clientes, comprimindo-se de encontro ao balcão, onde os empregados não tinham mãos a medir! Cheirava a açúcar e a canela. Claro que havia vários tipos de bolos, mas a especialidade eram os tais pastéis, à vista muito parecidos com pastéis de nata, mas de sabor bem diferente. A casca de massa folhada mais fininha e estaladiça e o creme muito macio e compacto. Por toda a parte se viam umas caixinhas de alumínio em forma de tubo com a tampa furada e uma asa para enfiar o dedo. Eram os caneleiros, pois quase toda a gente polvilhava os pastéis com bastante canela, o que os tornava ainda mais saborosos. O Chico, só ele, comeu meia dúzia! E o Pedro achou por bem comprar uma embalagem para levar, pois se se atrasassem mais do que esperavam era bom estarem prevenidos com um farnel. O empregado, solícito, enfiou seis pastéis numa espécie de rolo de cartão já preparado.

— Que giro! — comentou a Teresa. — Esta caixa de bolos tem as mesmas cores dos azulejos. Aqui é tudo azul e branco.

Regalados com o lanche que acabavam de comer, passaram ainda por uma drogaria onde compraram alguns metros de corda. Para não levantar suspeitas, o João enrolou-a a tiracolo e vestiu o blusão por cima, o que o fazia parecer gordíssimo!

Depois seguiram em direção ao rio, dispostos a fazer tudo o que fosse necessário para ficarem a sós dentro da Torre de Belém após a hora do encerramento. O que não seria tarefa muito fácil, pois logo à entrada verificaram que os guardas dispunham de um circuito interno de televisão que lhes permitia ver no ecrã tudo o que se passava nas várias salas e corredores.

— Ó diabo! Ó diabo! Com esta é que a gente não contava...

— Calma! Venham comigo lá acima à varanda, que eu sei como havemos de fazer — disse o Pedro.

Misturando-se com um grupo imenso de japoneses, subiram a escada de pedra íngreme e foram sair num grande e belo terraço sobre o Tejo. Uma brisa fresca e agradável revolveu-lhes o cabelo e fez sorrir os japoneses, que se apressaram a puxar das suas muitas e excelentes máquinas fotográficas. Num frenesim continuado, fotografaram as ameias, as guaritas redondas, as esculturas, os rendilhados de pedra, para levarem com eles para o Oriente imagens da arte portuguesa. Depois fotografaram também o rio, o céu, a outra margem, os barcos e, finalmente, fotografaram-se uns aos outros, sozinhos, em grupo, aos pares, sempre recortados no fundo azul que ali é a cor da paisagem portuguesa.

— Se nos escondêssemos numa guarita? — perguntou a Luísa, apontando uma das casinhas redondas, com telhado aos gomos e uma cruz no topo, destinadas ao abrigo das sentinelas nos tempos em que a torre ainda tinha as funções para que foi construída: guardar e defender a entrada do rio Tejo.

— Não penses nisso. Não te esqueças de que lá em baixo os guardas estão a ver o que se passa... se te metes ali e não sais, provocas suspeitas.

— Então como é que queres fazer?

— Primeiro visitamos a torre de alto a baixo, para descobrirmos os esconderijos possíveis.

Depois temos de verificar qual é a ordem por que as imagens aparecem no ecrã.

— Para quê?

— Ora! Para nos escondermos no momento em que eles estejam a ver na televisão a imagem de outra sala ou terraço!

— Magnífico! É assim mesmo.

A volta que deram, fê-los constatar que a Torre de Belém por dentro é uma construção muito simples. Mas não menos bonita por causa disso.

No primeiro piso, havia uma sala enorme, com o chão de lajes gastas pelo tempo e grandes arcarias formando um teto baixo, em abóbada. Na parede sobre o rio abriam-se janelas muito pequenas, quase ao nível da água, que antigamente se destinavam a enfiar canhões para disparar contra possíveis inimigos. Depois havia o grande terraço com as guaritas. E o torreão, por fora muito rendilhado, por dentro limitava-se a uma série de salas quadradas quase sem decoração nenhuma, ligadas entre si por uma escada de *Caracol*, muito enroladinha e escura. A cobertura era um terraço também com ameias e mais quatro guaritas apertadas.

— Se isto tivesse móveis era mais fácil! Podíamos meter-nos debaixo da cama ou dentro de um armário. Agora assim não estou a ver sítio nenhum para me esconder — queixou-se o João.

— Pois eu já vi três! — exclamou a Teresa.

— Quais?

— Há duas salas com lareira de canto...

— Mas as lareiras são abertas! Se ficares ali de cócoras toda a gente te vê!

— Não sejas parvo! Puxa pela cabeça! O que temos de fazer é entrar pela chaminé acima e aguentar lá dentro um bocado.

— Bolas, deve ser bem incómodo.

— Mas não é para demorar muito. Assim que os guardas saírem, quem ficar na chaminé salta para o chão.

— E o outro esconderijo?

— Esse ainda é melhor. Na primeira sala, onde começa a escada de *Caracol*, há um vão excelente por trás. Dá para um de nós ou talvez dois.

— Para duas, não? Estou mesmo a ver que estás a pensar ficar aí com a tua irmã!

— Lembras bem! — disse a Teresa. — É o esconderijo, fui eu que o descobri e além disso nós somos raparigas.

— É justo! — concordou a Luísa.

— Justíssimo! — brincaram os rapazes — Tudo o que houver de melhor deve ser sempre para as mulheres, não é?

— Claro! Até podias começar por nos dares essa embalagem de pastéis de Belém para arranjarmos forças...

125

— Querias!

O Pedro acenou-lhes com o tubo de cartão e voltou a descer ao primeiro piso. Ali era inútil procurarem esconderijo. A sala servia para exposições, não tinha nenhum recanto aproveitável e estava muito vigiada. Nas masmorras, o trânsito era constante, pois fora o local escolhido para instalarem as casas de banho.

— Aqui é que eu não fico! — disse a Luísa, apertando o nariz com os dedos. — Cheira muito mal!

Os outros riram-se e já iam escada acima outra vez quando o Eduardo, de repente, estacou:

— Nada feito! Temos de desistir!

— Porquê?

— Olhem para ali! — disse, apontando umas caixinhas penduradas na parede. — Aquilo é um alarme eletrónico. Quando os guardas saírem, ligam-no e, se alguém estiver cá dentro, dispara numa chinfrineira infernal.

Rodearam-no consternados e o João ainda perguntou:

— Tens a certeza, pá?

— Absoluta! Já vi vários deste tipo.

— E se a gente desligasse o alarme?

— Como? Sabes mexer neste tipo de material, Chico?

— Não.

— Mas sei eu — disse o Eduardo. — O meu

pai em tempos trabalhou numa firma onde havia disto e mostrou-me como funciona.

— Queres tentar, Eduardo?

— Quero. Mas primeiro tenho de ver se descubro onde está o botão. Vocês fiquem aqui, que eu vou «dar música» aos guardas. Pode ser que se descaiam.

Ele afastou-se de mãos nos bolsos e a Teresa aproveitou para segredar ao ouvido da irmã:

— Ele é o máximo, não achas?

— Tu estás mesmo «apanhadinha» de todo...

— Oh!

— Não disfarces! Vê-se lindamente.

— Então e se estivesse, fazia algum mal?

O Pedro interrompeu-as:

— Olhem lá, já sei de quanto em quanto tempo é que aparece a mesma imagem no ecrã da televisão interna. Fui mesmo agora cronometrar. Basta contar os segundos, e podemo-nos esconder sem ninguém dar por isso.

— Excelente.

— Excelente se tudo correr bem, porque se nos apanham vamos passar um mau bocado.

— O que é que nos podem fazer? Não viemos aqui roubar nada...

— Mas isso ninguém sabe senão nós!

O Eduardo juntou-se a eles novamente, e vinha com ar satisfeitíssimo. Trazia na mão um postal e explicou:

— Estive a fingir que me interessava imenso pelas fotografias, postais e prospetos da torre. Já sei onde é o botão.

— Como é que vamos fazer?

— Vocês enfiam-se nos esconderijos combinados. Eu fico na guarita do primeiro terraço e, mal oiça a porta fechar, atiro-me pela escada abaixo e desligo o alarme...

— E se não conseguires?

— Somos apanhados.

Naquele momento preciso, um guarda anunciou ao microfone:

— Senhores visitantes, a Torre de Belém encerra às cinco horas...

Um friozinho na espinha fê-los estremecer. Era preciso agir depressa, pois faltavam cinco minutos para as cinco horas!

E enquanto o guarda repetia a mesma frase em inglês e francês, cada um tratou de procurar um posto que lhe conviesse.

Capítulo 12

Que noite!

Em janeiro escurece muito cedo. Do rio subia uma neblina ténue, e a torre ia-se enchendo de sombras...

As gémeas, tal como estava previsto, enfiaram-se debaixo da escada de *Caracol*, e ali ficaram muito juntinhas, com as costas coladas à pedra fria.

O Chico amarinhou pela chaminé de uma lareira, o João pela chaminé da outra lareira, enquanto o Pedro preferiu ficar com o Eduardo numa guarita.

Às cinco em ponto, um magote de turistas saiu da Torre de Belém e os guardas começaram a preparar tudo para se irem embora e fechar o monumento até ao dia seguinte.

O Eduardo apurou o ouvido.

— Deve estar quase — murmurou. — A porta é pesada e com certeza faz barulho ao fechar....

Em resposta, ouviu-se: «VLANC...» E depois:

«Schaftc... Schloftc...» Alguém fechava a porta com força e dava várias voltas à chave.

Sem pensar nem mais um instante, o Eduardo lançou-se escada abaixo direito ao alarme. Tinha poucos segundos para poder atuar, pois sabia que aquele aparelho só entrava em funcionamento alguns segundos depois de ligado, para dar tempo aos guardas de saírem.

Quase se estampou, mas conseguiu atingir o botão!

— Uf! Que sorte! — exclamou, virando-se para o Pedro, que viera atrás.

Os dois rapazes, após uma breve pausa, largaram a rir que nem dois patetas. Estavam sozinhos conforme queriam e a torre por sua conta! Olharam em volta e tudo lhes pareceu diferente. Mais próximo, mais íntimo, como se a torre lhes pertencesse.

— Vamos chamar os outros. Anda!

Pelo caminho, repararam com certo nervosismo que agora podiam ouvir os seus próprios passos a ressoar nos degraus de pedra. O silêncio era total.

— Teresa! Luísa! Podem sair do buraco — chamou o Pedro, sem motivo nenhum para falar tão baixo.

As duas caras iguais apareceram com os olhos a luzir na escuridão que se adensava. E também elas responderam num sussurro:

— Então? Correu tudo bem?

— Sim. Vamos começar as buscas.

— O Chico e o João?

— Devem estar enfiados na chaminé!

Divertidos, correram escada acima para os irem chamar. Mas eles já lá vinham, contentes também.

— Começamos por onde?

— Por aqui, já!

Na sala onde se encontravam havia um poço que comunicava com as masmorras. Ora, «poço» lembra «água»...

— Não deve ser este o sítio, no entanto experimenta-se.

O Pedro passou as mãos pelo rebordo, à procura de uma saliência, de um desnível, qualquer coisa que indicasse «tesouro à vista». Claro que não encontrou nada.

— Já não vejo um palmo diante do nariz! — queixou-se o João. — Alguém trouxe uma pilha?

— Eu tenho — disse a Teresa. — Uma pilha minúscula no meu porta-chaves!

— É melhor que nada. Acende.

Ela obedeceu e fez incidir um fiozinho de luz para dentro do poço. A pedra era lisa e regular.

— Hum... é melhor procurarmos noutro lado.

Um pouco às cegas, apalparam janelas, paredes, parapeitos, varandins, sem qualquer resultado! Nas quatro salas do torreão não podia estar. Lembraram-se então de ir para a escada, mas como era muitíssimo estreita tiveram de subir em fila indiana pois não havia espaço para circularem lado a lado. O Pedro ia à frente, com o porta-chaves da Teresa na mão. A pilha estava um pouco gasta e a luz cada vez mais fraca. Tinha arrefecido muito e o vento soprava, assobiando nas frinchas. «Vum... Vum...»

«Isto começa a meter medo!», pensou a Luísa, sem coragem para confessar o que sentia.

Mas logo soltou um grito abafado, e agarrou-se à manga mais próxima.

— Que foi isto? O que foi isto?

Por cima da cabeça deles, ouvia-se nitidamente uma respiração lenta, forte, constante, e o eco arrastava aquele som assustador pelos recantos da torre. Seria o vento? Ficaram parados, à escuta, tiritando de frio e de medo. Mas o som continuava cada vez mais forte. Vento não era.

— Achas que é uma pessoa ou um animal?

Ninguém se sentia capaz de responder ao João, mas a ideia terrífica de «fantasmas» atravessou-lhes a mente quando, atrás dos suspiros, vieram gemidos e lamentos: «Hi... uiii... aii oh!»

— Fugimos? — propôs a Teresa num fio de voz.

— Desce! Desce! — ordenou o Pedro. — Vamos para a sala de baixo!

A Teresa, que era a última da fila, passou a ser a primeira e abriu caminho com os dentes batendo que nem castanholas. Tateou o chão com a ponta do pé e avançou. Tinha as pernas e os braços tão moles que pareciam de trapo. Uma luz baça de lua-nascente coava-se pela janela estreita, escorria pelas arestas de pedra e conferia ao aposento um ar de cenário para filmes de terror!

Atarantados, agarraram-se uns aos outros e iam morrendo de susto quando os ruídos se fizeram ouvir na chaminé: «Uô Uô Uô!»

De olhos arregalados, lívida, a Luísa apontou para a lareira.

— Achas que o fantasma vai sair por ali? — perguntou quase a desmaiar.

Atónitos, viram então surgir pela abertura um vulto branco, ao mesmo tempo que soavam gargalhadas estridentes:

— Hi! Hi! Hi!

Sem pensar duas vezes, largaram todos a fugir, atropelando-se, tal era a pressa. Com a precipitação, o Chico pisou o porta-chaves, esmigalhando a única luz de que dispunham debaixo do pé. A escada ficou na mais com-

pleta escuridão, e o pânico descontrolou-os! O primeiro que tropeçou e caiu apanhou com os outros todos em cima, de modo que se ouviram de novo gritos e mais gritos! Só que, desta feita, eram eles que berravam assustando os possíveis fantasmas:

— Ai! Sai de cima de mim!

— Temos de fugir!

— Aleijaste-me...

— Chega para lá o cotovelo, que me estás a magoar!

— Parece-me que parti a perna...

— Está quieta!

Foi com dificuldade que se desembaraçaram uns dos outros e, quando finalmente conseguiram pôr-se de pé, e sem querer voltaram à sala, deram de caras com dois vultos brancos que avançaram para eles devagarinho, como se deslizassem no ar. Petrificados de pavor, incapazes de mover um só músculo, ficaram à espera. E os vultos cada vez mais perto! Aproximavam-se com um estranho ruído: «Tss... Tss... Tss...»

Parecia o vento a soprar rente às paredes do chão!

Foi nesse momento que o Chico teve uma ideia genial. Arrancou das mãos do Pedro a embalagem pastéis de Belém. Pegou no primeiro e zumba! Arremessou-o com toda a força na direção dos seres misteriosos. Se fossem fantasmas, o pastel atravessava para o lado de lá... só que, em vez disso esborrachou-se de encontro a qualquer coisa de muito sólido! E o Chico, entusiasmado, resolveu levar o teste até ao fim e... pimba! pimba... pimba... foi esborrachando pastel atrás de pastel no corpo daqueles aldrabões que os queriam assustar.

Os outros, quando perceberam o embuste, lançaram-se-lhes em cima e foi o Pedro quem arrancou o lençol que os cobria, mas na volta levou um murro no nariz que o deixou a ver estrelas!

— Ui!!

O Chico ripostou imediatamente ao ponta-pé e à canelada, mas os fantasmas eram bem fortes. A luta foi renhida! Choveram bofetões, estaladas, caneladas...

Enfim, por instantes a Torre de Belém animou-se com uma zaragata de todo o tamanho.

A Teresa mimoseou um dos adversários com uma dentada na mão, mas o outro arrancou-lhe logo um punhado de cabelo.

— Sua besta!

— Ai! Bruto!

— Bruta és tu!

O Chico recuou estrategicamente, disposto a arrumar os inimigos com uma violenta cabeçada. Tomou balanço, encheu o peito de ar e investiu que nem um touro bravo! Só que os «fantasmas» piraram-se no último minuto e o Chico foi de encontro à parede com toda a força.

— Ai! Quase parti um braço!

— Reage, Chico! Vamos atrás deles! Quero saber quem são!

À reboleta, desceram todos para o piso inferior. Mas de repente... «Plinc!» Acenderam-se as luzes. O Chico e o Eduardo ficaram sem fala. Na frente deles estavam, nem mais nem menos, do que o Albino e o Albano.

— A quadrilha dos Al! — murmuraram por fim...

E já se preparavam de novo para a luta, quando o alarme deu sinal. «Oiii... Oiii...»

— Idiota! — berrou o Albino. — Hás de ser sempre o mesmo idiota! Para que é que ligaste essa porcaria?

O Albano, atarantado, pôs-se a carregar ao acaso nos botões, mas era inútil. Um vez accionado, o alarme só pararia com uma chave especial. A única hipótese era fugir.

— Este alarme deve estar ligado à polícia. O melhor é cavarmos daqui para fora!

Ao longe já se ouviam as sereias.

Tanto eles como os da quadrilha dos Al precipitaram-se para a porta. Mas quem é que a abria? Nem murros nem puxões a fizeram mover um milímetro. Então resolveram tentar

outra saída. Só havia duas hipóteses: ou as janelas muito altas, ou o terraço sobre o rio! A maré estava cheia e... benditas águas! Antes que chegassem os guardas, «Plof! Plof! Plof!». Atiraram-se todos de mergulho, e nadaram para a margem. Encharcados até aos ossos, cheios de lodo, com o cabelo empastado e a roupa a cheirar pavorosamente mal, desarvorou cada um para seu lado, à procura de um arbusto protetor.

O Albino e o Albano, como tinham ali um carro, puseram-se em fuga. E eles, agachados atrás de umas plantas redondas, assistiram a tudo. A polícia chegou, abriu a porta, revistou a torre, acabando por concluir que mais uma vez um morcego ou um rato acionara o alarme, como já tinha acontecido antes.

Retiraram-se então e eles, suspirando de alívio, puderam finalmente reunir-se. Daquela tinham escapado! Mas a figura em que estavam era indescritível! Gostariam que ninguém os visse assim. Só que era impossível, pois para regressarem a casa teriam de ir de autocarro.

E lá foram para a paragem, envergonhadíssimos, cabisbaixos e aflitos com a perspetiva de terem de explicar aos pais por que motivo regressavam de um simples jantar entre amigos cobertos de lama da cabeça aos pés!

Capítulo 13

Um gigante
com muitas pernas

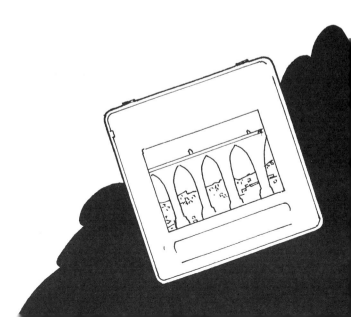

No dia seguinte as gémeas não ouviram o despertador e faltaram à primeira aula. Tinham apanhado uma tremenda constipação, de modo que se sentiam moles, pesadas, sem vontade nenhuma de se mexerem. Se não fosse a ânsia de falarem com os amigos, o mais certo era deixarem-se ficar em casa. Mas assim, apesar de um pontinha de febre e do nariz entupido, vestiram-se à pressa, tomaram uma aspirina com duas torradas, uma caneca de leite quente, e saíram porta fora muito bem agasalhadas. Iam ter Educação Visual ao segundo tempo. Quando entraram na escola já estava a tocar. De corrida, juntaram-se ao Eduardo, que antes de conseguir articular palavra espirrou três vezes:

— Atchim! Atchim! Atchim!

— Que grande carraspana que a gente apanhou!

— Nem me fales! Passei a noite a acordar com o nariz entupido. É verdade, a vossa mãe o que é que disse quando lhe apareceram naquela figura?

— Ficou verde! A Luísa inventou uma história impecável...

— O que é que disseste, Luísa?

— Nada de especial. Fingi que tínhamos andado a fugir de um cão e que caímos ao lago...

— Ah! Ah! Que lago enorme!

— Foi a única hipótese. E tu?

— Eu tenho a sorte de ser filho de uma enfermeira e de vivermos só os dois. A minha mãe estava de serviço e não deu por nada. Quando chegou a casa já eu tinha tomado um banho magnífico e metido a roupa na máquina. Da nossa aventura, nem vestígios!

A professora entretanto abriu a porta da sala e mandou-os entrar. Cada um se dirigiu à sua mesa de trabalho, mas o Carlos e o Neves entraram de roldão, abanando-se um ao outro com fúria. Ficaram todos a vê-los, mas a professora, que geralmente intervinha, não reparou, entretida a ajustar um projetor de *slides*.

O Neves, vermelho de fúria, recuou alguns passos e agrediu o outro com a mochila. Foi quanto bastou para que o Carlos lhe arrancasse a mochila das mãos e pás! Atirou-a ao chão.

O Neves hesitou uns segundos, e ferrou-lhe duas caneladas. Depois começou a apanhar os livros, cadernos, canetas e bocados da régua que se tinham espalhado, gritando:

— Tens de me pagar! Tens de me pagar a régua! Partiste-me a régua!

— Pagar? Eu? Era o que me faltava!

A tensão foi crescendo, até se envolverem à pancada outra vez.

A professora, então, muito calma mas visivelmente zangada, abriu a porta e num tom gélido ordenou:

—Rua!

Eles detiveram-se e olharam-na, mas a expressão era inequívoca: não estava disposta a perdoar. Assim, pegaram nas coisas e saíram arrastando os pés.

Tudo aquilo tinha durado apenas alguns segundos, mas foi o tempo suficiente para se criar uma atmosfera pesadíssima. Ninguém ousava fazer comentários porque a situação era bem clara. Tomaram os seus lugares num silêncio total.

Lá fora, o Carlos e o Neves olhavam para a turma através dos vidros da janela, sentindo-se estupidamente vítimas de uma injustiça. Os outros disfarçavam sorrisos, enquanto iam dispondo os materiais necessários em cima da mesa. A professora continuou a preparar os diapositivos, fingindo não reparar no que se passava à sua volta. Mas os mais atentos notaram que deitava umas miradas de soslaio lá para fora. Era sempre desagradável pôr alunos na rua, embora às vezes fosse a melhor solução.

Os castigados, que ainda há pouco eram «inimigos em fúria», iam serenando. E sentindo-se agora ambos do mesmo lado... acabaram por se rir um para o outro e, com uma encolhidela de ombros, pousaram as mochilas e foram jogar à bola.

A professora, entretanto, mandou correr as cortinas para escurecer um pouco a sala e o incidente foi esquecido.

Depois, distribuiu uma ficha de trabalho que dizia assim: «Preparação da visita de estudo ao Aqueduto das Águas Livres.»

Só nessa altura é que as gémeas se lembraram por que motivo iam ver *slides*.

No ecrã apareceu o primeiro, representando alguns arcos de pedra, e a professora explicou:

— O Aqueduto das Águas Livres foi construído no reinado de D. João V, em pleno século XVIII, portanto há cerca de duzentos anos. Alguém sabe para que é que servia?

— Eu acho que sei! — disse uma vozinha lá atrás. — Era para trazer água para Lisboa.

— Sim senhor, era isso mesmo. Dantes só havia poços, nascentes, ribeiras e chafarizes. A falta de água em Lisboa era tão grande, que as pessoas andavam à pancada para encher as bilhas. Chegou até a haver lutas de morte por um fio de água.

— De morte?

— Sim. Vocês reparem, as pessoas iam buscar água a um chafariz. No verão, corria só um fiozinho. Por isso tinham de se pôr em bicha e esperar horas e horas! Em certas alturas, para encher um barril, esperavam um dia e uma noite. Assim, se alguém tentasse passar à frente, dava zaragata.

— Como a do Carlos e do Neves...

— Muito pior! Não ouviste a «stôra» dizer que os aguadeiros se chegavam a matar?

— Pois era. Houve crimes à conta da água e teve de se fazer leis para resolver o assunto.

Um «clic» fez mudar o *slide* e apareceu outro. Agora via-se o arco maior.

— Ah! «Stôra!» Eu passo sempre por baixo disso quando vou para a Costa da Caparica!

— Passas tu e todos os que forem pelo mesmo caminho para a ponte sobre o Tejo. Este arco é conhecido pelo Arco Grande. Tem 65,29 m de altura e 28,86 m de largura.

— Então em altura mede para aí como um prédio de vinte andares! — disse o Eduardo.

— Ou mais!

— É bem giro, este aqueduto! — disse alguém. — Passei lá tantas vezes e nunca tinha reparado.

A professora sorriu:

— Por isso mesmo é que vocês precisam de ter aulas de Educação Visual. Nós estamos aqui para os ensinar a «ver» tudo o que nos rodeia. Ora reparem bem.

O *slide* mudou outra vez e apareceu o aqueduto visto mais ao longe.

— O comprimento total deste aqueduto, que começa em Caneças e vai até ao Largo do Rato, é de dezoito quilómetros — explicou a professora. — Tem cento e nove arcos e muitos, muitos metros de canalização subterrânea. Registem estas informações na ficha.

Eles apressaram-se a cumprir a ordem e, quando acabaram, a professora chamou-lhes de novo a atenção para o monumento:

— Já lhes dei alguns elementos concretos que convém saberem. Mas reparem como é bonito. Tão simples, sem enfeites, e tão elegante...

Uma pequena pausa e retomou a palavra, mas o tom era diferente. Sonhador, talvez!

— É como se fosse um gigante bom, poderoso, muito forte! Forte como um leão, mas com tantas pernas como a centopeia...

Um berro lá atrás fez a turma inteira dar um salto. Viraram-se todos para trás e a professora, estupefacta, acendeu a luz.

O Eduardo, roxo de entusiasmo, tinha-se posto em pé e recitava de braços abertos:

Benditas, benditas águas
E correm sempre para nós
Às costas de fero gigante
Cantam numa linda voz!

As únicas pessoas ali dentro que não se mostraram admiradas foram as gémeas que, deixando os colegas e a professora de boca aberta, saltaram da cadeira e abraçaram-se ao Eduardo, gritando:

— Descobriste! É o Aqueduto das Águas Livres!

— Mas o que vem a ser isto? — berrou a professora, com os olhos a saírem-lhe das órbitas.

E teriam ido os três ao Conselho Diretivo, se a campainha não tivesse providencialmente interrompido a cena para anunciar «a aula acabou».

Capítulo 14

Os crimes
de Diogo Alves

Claro que no intervalo correram em busca do Pedro, do Chico e do João. Em conjunto repetiram os versos ouvidos na rádio. Encaixavam à maravilha.

> *O gigante é todo em pedra*
> *Sua força é de leão*
> *Para lhe chegar à cinta*
> *Três homens não bastarão!*

— Como é que não nos lembrámos disto? Afinal, as águas não eram do rio nem do mar! Eram as águas para beber.

— E no tempo de D. João V também veio muita riqueza das terras descobertas. Foi quando chegou a Portugal o ouro das minas do Brasil ([1]).

— E a data! M e D é 1500. Mas se acrescentares algumas letras fica MDCC, ou seja, 1700... É o aqueduto, não há dúvida!

([1]) O aqueduto foi construído no reinado de D. João V, mas à custa de um imposto lançado para o efeito.

— Então só resta ir lá procurar.

— Quando? — perguntou o Eduardo.

— Hoje! — responderam todos à uma.

— Quanto mais depressa, melhor — comentou o Pedro. — Se não nos despachamos, os Al podem chegar à mesma conclusão e sacam-nos o tesouro!

— Sim, hoje não devemos ter concorrentes. Mas amanhã, quem sabe?

— Eu vou levar o *Faial*.

— Nesse caso, nós levamos o *Caracol*.

A campainha chamou de novo para as aulas. Terminara o intervalo grande e tiveram de se separar.

— À saída, esperem por nós para combinarmos tudo. Agora temos de ir para o ginásio.

— Bom, parece-me que esta tarde vou faltar aos treinos de volei! — suspirou o Chico.

— Deixa lá que, se acharmos o tesouro, vale bem a pena!

— Até logo!

Nessa mesma tarde, foram direitos às Amoreiras com o *Faial* e o *Caracol*. Tinham visto na lista dos telefones que a entrada para as visitas ao aqueduto se fazia na Praça das Amoreiras.

Com ar de meninas bem-comportadas, não esquecendo até os blocos de notas para fingir que se tratava de um estudo que queriam fazer, dirigiram-se aos escritórios. A porta estava fechada, mas um jardineiro muito simpático explicou-lhes que por ali não era permitido entrar dentro do aqueduto, a menos que tivessem uma autorização especial. E que isso demorava tempo a arranjar. Vendo-os tão desiludidos, acrescentou:

— Se quiserem dar uma espreitadela, podem ir à Calçada da Quintinha. Andam lá uns colegas meus a tratar do jardim. Pode ser que vos abram o portão.

— Sim, sim! Vamos já para lá.

Cheio de paciência, o homem levou-os até à Rua das Amoreiras, explicando detalhadamente o caminho a seguir. O pior é que não era nada perto! Fartaram-se de andar em passo acelerado, e foi de língua de fora que chegaram ao dito portão. Estava fechado a sete chaves, mas através da rede viram três rapazes cuidando de um pequeno jardim.

— Faz favor! — chamou o Pedro.

Os rapazes pararam de trabalhar e, sem sair do mesmo sítio, indagaram:

— Que é que vocês querem?

— Ver o aqueduto!

— Não pode ser. Está fechado ao público. Só abre no verão.

— Mas...

— Não há mas nem meio mas! São ordens que temos.

— Importa-se de nos explicar porquê? — arriscou a Luísa, prevendo que lhe diriam apenas «ordens são ordens».

Mas afinal havia uma razão. Um dos rapazes aproximou-se do portão e disse:

— Isto dantes servia de ponte. As pessoas atravessavam o Vale de Alcântara pelo aqueduto. Até se chamava a isto «o Passeio dos Arcos».

— E por que é que fechou?

— Por causa dos suicídios. Houve gente que se atirou daqui abaixo...

— Ah! Quanto a isso não se preocupe. Não tencionamos suicidar-nos!

O rapaz pôs-se a rir.

— Mas houve também a história dos crimes.

— Crimes?

— Sim. Vocês ouviram falar do Diogo Alves? ([1])

— Não!

— Pois olha, ele aterrorizou os lisboetas durante muito tempo.

— Matava gente?

— Sim. Arranjou uma chave falsa, escondia-se dentro do aqueduto e, quando as pessoas iam a passar, agarrava-as, roubava tudo o que

([1]) A história de Diogo Alves é verdadeira.

155

traziam e atirava-as dali abaixo! Só da família do Dr. Andrade matou quatro!

— Que horror!

— Ao princípio até julgavam que se tratava de uma onda de suicídios inexplicáveis. Mas não! Tudo obra de Diogo Alves.

— Ó Joaquim! — berrou um dos outros jardineiros. — Hoje não tens mais nada que fazer senão conversar, é?

— Já vou! Já vou!

O rapaz despediu-se deles com um gesto elucidativo.

— Tenho de ir! Desculpem lá!

Chateados, voltaram para trás. No entanto, todos eles pensavam na melhor maneira de tornear o obstáculo. Já que estavam ali, era estúpido desistir. Portanto, em vez de regressarem a casa, puseram-se às voltas pelo bairro. E foi o João quem propôs:

— E se a gente esperasse que os jardineiros se fossem embora? Hã? Parece-me muito fácil saltar o portão.

— Cá por mim, alinho.

— Nós também!

Meu dito, meu feito! Foram-se esconder atrás de um muro e ficaram de vigia até que os jardineiros deram por findo o serviço. Por sorte, não tardou muito. No entanto foi impossível agir de imediato, pois recearam que alguém os visse e chamasse a polícia. Preferiram esperar o lusco-fusco. Quando o movimento na rua diminuiu e começaram a acender-se luzes nas casas em redor, o Chico esfregou as mãos uma na outra e declarou:

— Vamos a isso!

Trepar ao portão de ferro e introduzirem-se no pequeno jardim que dava acesso ao aqueduto não foi tão fácil como lhes tinha parecido. Mas o desejo de entrarem era mais forte do que todos os obstáculos, fossem eles de rede, de ferro ou de cimento! E assim, ajudando-se uns aos outros, treparam, saltaram, içaram os cães e caíram por fim do lado de dentro da ponte que suporta a velha Conduta das Águas Livres.

— Nunca pensei que isto fosse assim! — exclamou a Luísa. — Que engraçado!

No fundo, o aqueduto era uma espécie de grande ponte com uma casa ao meio, a todo o comprimento, de modo que as águas corriam no seu interior. De um lado e do outro, corredores de pedra permitiam o trânsito de peões entre Monsanto e as Amoreiras. A uma altura incrível! Até dava vertigens olhar para baixo. Os carros passavam a grande velocidade, parecendo brinquedos numa pista de corridas.

— Safa, que quem cair daqui fica em fanicos! — exclamou o Pedro, debruçando-se.

— Tem cuidado!

A noite caía rápida. Aos seus pés a cidade ia-
-se iluminando e, com a escuridão, o ruído dos
motores em movimento transformava-se num
ronco uniforme. Estava muito frio lá em cima.

— Por onde é que começamos? — perguntou o João, tiritando. — Se eu soubesse tinha
trazido um camisolão!

— O melhor é mexermo-nos para não arre-
fecermos demasiado.

Ao longo do aqueduto havia uma série de
portas verdes, em metal. O Chico tentou abrir a
primeira, mas estava fechada à chave. Avançou
até à seguinte e abanou-a com força. Nada.

— Talvez a próxima...

Uns atrás dos outros, foram experimentan-
do forçar as várias entradas e, quando já se
avistava a Mata do Alto da Serafina, um ruído
inesperado pô-los de sobreaviso. O *Faial* estacou, rosnando baixinho, e o *Caracol* imitou-o,
farejando em volta.

— Pst! Quietos!

Só nesse momento se deram conta do risco
enorme que corriam ali em cima. Estavam
longe de tudo e de todos. Ainda que gritassem
em coro, ninguém os ouvia. A Luísa sentiu um
autêntico calafrio e agarrou o braço do Pedro
com toda a força.

— Se fôssemos embora? — disse-lhe ao
ouvido.

— Espera... espera...

Por trás da portinhola alguma coisa se movia... seria apenas um rato dos canos? Ou estaria alguém lá dentro?

De súbito, ouviu-se um espirro.

— Atchim!

Mas nenhum deles tinha espirrado.

— Temos companhia — murmurou o Eduardo.

— E a esta hora não pode ser a «companhia das águas»...

Se não estivessem tão aterrorizados, o mais certo era largarem a fugir. Mas o medo tornara-os incapazes de tomar decisões, portanto ficaram ali especados à espera nem eles sabiam de quê!

O João apertou a coleira do *Faial*, como quem busca proteção. E, encolhidos uns de encontro aos outros, viram a porta de metal entreabrir-se rangendo suavemente: «Iiin...» Um vulto de homem recortou-se na escuridão e pela cabeça de todos passou a mesma ideia sinistra: Diogo Alves! O assassino estava ali!

Capítulo 15

Caracol, Caracol!

O pânico descontrolou-os e, em vez de permanecerem juntos, largaram a correr em direções opostas, as gémeas para o lado das Amoreiras e os rapazes para o Alto da Serafina. No meio da confusão, o *Caracol* desapareceu e o *Faial* entrou na porta fechada do aqueduto ladrando furiosamente.

— Luísa! Luísa! Luísa! — berrou a Teresa.

— O assassino vem atrás de nós!

De facto, o homem ia-lhes no encalço, e aproximava-se cada vez mais. A única coisa que distinguiam no escuro era a sua dentadura muito branca, pois arreganhava os lábios como um animal. Já estava tão perto que podiam ouvir-lhe a respiração acelerada.

A Luísa julgou desmaiar quando ele lhe deitou a mão ao ombro.

Do outro lado, os rapazes assistiram a tudo incapazes de agir. O *Faial* e o *Caracol* tinham desaparecido e por uma porta lá diante saíram mais três marmanjos!

— O Diogo Alves tem uma quadrilha! Estamos perdidos!

— Deve ser o chefe da quadrilha dos Al...

O João sentiu que as pernas lhe fraquejavam. Queria correr, mas não conseguia. Queria gritar, não lhe saía a voz! Na sua frente desenhava-se uma imagem horripilante, pois pensou que os bandidos iriam agarrá-los um a um para os atirarem do aqueduto abaixo. Com os olhos enevoados, procurou o *Faial*, mas só o ouvia ladrar ao longe!

O que se passava lá ao fundo com as gémeas era confuso. Dir-se-ia que lutavam desesperadamente para resistir ao agressor. Enquanto isso, os outros três avançavam na direção dos rapazes. O Chico reconheceu-os. O Albino, o Albano e A... Surpresa! O terceiro elemento era uma mulher. A malfadada Alzira!

«Deixa, que já vais ver», pensou, enrijando os músculos para preparar o ataque.

E, corajoso como sempre, pôs-se na frente dos amigos, disposto a defender-se e a defendê-los até ao limite das suas forças.

Mas não foi preciso! Ao contrário do que supunham, os bandidos não queriam bater-lhes, só queriam era fugir. Fugir do *Faial* que vinha atrás e já lhes tinha tratado da saúde dentro da galeria. Com a roupa em tiras e a sangrar, corriam na frente do cão procurando evitar novo contacto com aqueles dentes afiados! A única coisa que os rapazes tiveram de fazer foi chegar-se para o lado e deixá-los passar! O Albino, o Albano e a Alzira desapareceram na Mata da Serafina enquanto o diabo esfrega um olho.

O *Faial* continuou a persegui-los durante algum tempo, mas depois voltou para trás e chegou-se ao dono com um latido satisfeito. Daquela estavam livres. Mas as gémeas? O que lhes teria acontecido?

A Teresa e a Luísa tremiam como varas verdes, encostadas ao muro. Nenhuma delas percebera o que acabara de se passar ali. Tinham reconhecido o seu perseguidor: era o Alberto. Mas ele limitou-se a dar-lhes um safanão que as fez cair uma por cima da outra e tratou de se pôr ao fresco. Fugiu com quantas pernas tinha.

O Eduardo foi o primeiro a chegar ao pé delas.

— Vocês estão bem?

— Acho que sim — respondeu a Teresa, meio atordoada.

— O que foi isto, afinal? Que confusão!

— Muito simples — disse o Pedro. — Os tipos andavam aqui à procura do tesouro...

— E o *Faial* correu com eles — disse o João, orgulhoso.

— O *Caracol*? — perguntaram as gémeas em coro.

Do *Caracol*, nem sinais. A Teresa e a Luísa insistiram:

— O nosso cão? Viram para onde é que ele se meteu?

Os rapazes não responderam, mas trocaram um olhar inquieto. Os bandidos teriam atirado o *Caracol* pela borda fora? Ele era tão pequenino que não se podia defender.

As gémeas não disseram mais nada e largaram num pranto desabalado:

— O *Caracol*! Snif... Snif... Para que é que o trouxemos?...

— Coitadinho! Snif! Snif!

Eles não sabiam o que haviam de fazer para as consolar. A perda do cãozinho deixou-os tão acabrunhados que nem pensaram mais no tesouro. O João limpou disfarçadamente duas lágrimas teimosas. O Eduardo passou o braço à volta dos ombros de uma das gémeas e perguntou:

— Queres ir embora, não queres?

— Queres, Luísa? — perguntou também o Pedro.

— Esta não é a Luísa, é a Teresa — disse o Eduardo, muito seguro.

— Como é que sabes?

— Eu sei. Descobri a diferença logo no primeiro dia que as vi.

Se não fossem as circunstâncias, os outros

tê-lo-iam obrigado a dizer imediatamente qual era a diferença entre as gémeas! Mas, atendendo ao desgosto que acabavam de sofrer, preferiram deixar essa conversa para depois.

Cabisbaixos, encaminhavam-se para o portão de ferro quando começaram a ouvir um ruído suave atrás de si: «Tic... Tic... Tic...» Voltaram-se e que alegria! Era o *Caracol*, no seu passinho miúdo. Correram todos para ele de braços abertos. Muito contente, o cachorro aproximou-se das donas e, enquanto o afagavam e cobriam de beijos, abriu a boca e deixou cair uma espécie de trapo sujo e amarrotado.

— O que é isto, *Caracol*? Trazes-nos um presente?

O *Caracol* agitou-se, satisfeito. A Luísa pegou-lhe ao colo com muito carinho, enquanto a Teresa deitava a mão àquele estranho objeto. E logo soltou uma exclamação abafada:

— Ah!

— O que foi?

Com a voz alterada pela surpresa, disse apenas:

— Vejam! Vejam isto.

Assombrados, olharam para «o trapo», que afinal era um saquinho de camurça com mais de duzentos anos! Lá de dentro saíram as joias mais lindas que tinham visto na vida.

— O tesouro! — gritaram em uníssono, no

momento em que se acenderam vários focos de luz do lado de fora do portão.

Uma voz de comando ordenou:

— Mãos ao ar!

Era a polícia. A agitação no aqueduto àquela hora tardia acabara por chamar a atenção da vizinhança e alguém se encarregou de telefonar para a esquadra. A polícia acorrera, pensando encontrar ali tudo menos um grupo de jovens, com dois cães e um saco de joias do tempo de D. João V!

Por mais que eles tentassem explicar-se, ninguém acreditou no que diziam. Meteram-nos numa carrinha azul e branca e levaram-nos à presença do chefe. Este mandou um subordinado prevenir os pais, mas não esperou que chegassem para começar o interrogatório. Sentados num banco corrido, foram respondendo às perguntas, mas demorou bastante tempo até que a sua história ganhasse sentido. Primeiro contaram o que tinham ouvido na rádio. Depois, as voltas que deram até descobrir qual o monumento onde deviam procurar o tesouro.

O chefe fartou-se de rir, sem saber se havia de acreditar ou não. Mas como tinha as joias na frente dele, acabou por dar crédito ao que lhe diziam.

— Ficaram fechados na Torre de Belém e atiraram-se ao rio para fugir à quadrilha dos Al? Ah! Ah! Ah! Ó Sousa, esta é boa, hã? — perguntou, virando-se para um dos guardas.

— Nunca tal ouvi!

— Sabem quem é o chefe dessa quadrilha? — perguntou o tal Sousa muito sério.

— Sim — disse o Pedro, compenetrado do seu papel de herói do dia. — É um assassino famoso chamado Diogo Alves.

Os guardas, ao ouvirem aquilo, desataram à gargalhada! Riram tanto que acabaram por apertar a barriga com as mãos.

— O Diogo Alves? Ah! Ah! Ah!

— Oh! Oh! Oh! O Diogo Alves!

O próprio chefe ficou com os olhos marejados de lágrimas de tanto rir.

— Já me dói a cara! Há muito tempo que não me ria tanto!

— Não sei qual é a graça — disse a Luísa, zangadíssima. — A quadrilha desse Diogo Alves podia ter-nos matado.

— Ó filha, que disparate!

— Disparate porquê?

— Porque o famoso Diogo Alves, o assassino do aqueduto, viveu no século passado. Cometeu de facto muitos crimes, mas foi descoberto e enforcado em 1841! Já vês que não te podia fazer mal.

Envergonhados, olharam uns para os outros e acabaram por se rir também.

— De qualquer forma — disse o Eduardo —, a quadrilha dos Al, posso garantir que existe. E como não encontraram o tesouro, não se podem reformar. É melhor os senhores ficarem de olho alerta.

— Claro, claro! — concordou o Sousa.

— O tesouro é para nós, não é? — perguntou o João.

Foi o chefe quem respondeu:

— Tenho muita pena, meus amigos, mas estas joias são património nacional!

— Mas nós é que o encontrámos! — ripostou a Teresa, indignadíssima.

— Era o que faltava, depois de tanto trabalho ficarmos a ver navios.

— Claro. Por isso vão ter com certeza uma boa recompensa. Mas o tesouro é do Estado.

— Ó chefe! — disse um guarda. — Estão ali uns jornalistas da rádio e dos jornais para entrevistar aqui os nossos heróis! Podem entrar?

— Podem — disse o chefe com bonomia.

— Estes jornalistas são tramados! Ainda as coisas não aconteceram, já eles farejaram as notícias.

Uma chusma de repórteres entrou por ali dentro em grande animação. «Tchac... tchac...»

Durante uns segundos só se ouviu o disparo dos *flashes*. O *Caracol* foi fotografado ao colo das donas, o *Faial* aos pés do dono, formaram-se vários grupos e choveram perguntas.

O Pedro no entanto não largou o chefe da polícia até ele lhe prometer que receberiam mesmo uma boa recompensa!

Só depois se juntou aos amigos. Um jornalista jovem comentava com entusiasmo:

— Não sei se perceberam como é fantástica a vossa descoberta! Durante duzentos anos o tesouro permaneceu escondido e ninguém deu com ele! Afinal, onde é que estava?

— No aqueduto! — respondeu o Chico pela milionésima vez.

— Está bem! Mas o aqueduto é enorme. Em que sítio exato é que encontraram as joias?

— Ah! Isso não podemos dizer!

— Porquê?

— Porque o único do grupo que podia dar essa informação, não fala.

Os jornalistas olharam para a Teresa, desconfiados. Que brincadeira era aquela?

— Não fala?

— Pois não. Quem achou o tesouro foi o *Caracol*! Apareceu-nos com o saco na boca. Não fazemos a mínima ideia onde o encontrou.

— Viva o *Caracol*! — gritou o Eduardo, levantando-o no ar.

E logo se voltaram a ouvir os «tchac...
tchec... tchac...» dos *flashes* em ação. O *Caracol* entenderia que estava a viver o seu momento de glória?

Escreve às autoras de Uma Aventura

• Qual a tua opinião sobre este livro?

• E sobre as ilustrações?

As opiniões e sugestões podem
ser enviadas para:

fantastico@caminho.leya.com
umaaventura@leya.com